W0025434

TARANTULA

Colección dirigida por
PACO IGNACIO TAIBO II

THIERRY JONQUET

TARANTULA

Ttítulo original: *Mygale*

Traducción: *Lourdes Pérez González*
Cubierta: *Juan Cueto y Silverio Cañada*
Primera edición: *Octubre de 1986*

Fernández de los Ríos, 20. 28015 Madrid. Alto Atocha, 7. Gijón
ISBN: 84-334-3611-2
Depósito legal: B. 43.574 - 1986
Compuesto en Fernández Ciudad, S. L.
Impreso en Romanyà/Valls, c/ Verdaguer, 1. Capellades (Barcelona)
Printed in Spain

Thierry Jonquet es uno de los más jóvenes autores de la nueva novela policiaca francesa, el Polar. *Nacido en 1954, ha conseguido triunfar, y por partida doble. Con su firma y con el seudónimo Ramón Mercader (recuerden, el hombre que asesinó a Leon Trotsky con un piolet de alpinista).*

Y se ha colocado desarrollando dos líneas originales en la literatura policiaca. Bajo su seudónimo, ha experimentado con la novela política, donde el crimen es una «razón de estado» y a él hay que remitirse para descubrirlo (Cours moins vite, camarade, le vieux monde est devant toi!, Du passé faisons table rase). *Con su verdadero nombre, Jonquet desarrolla una novela criminal basada en la exploración de horror.*

El crítico francés Michel Lebrún alguna vez dijo que la obra de Jonquet tenía que ver con una puesta en escena de los hermanos Marx trabajada por el toque escalofriante de la pintura del Bosco. Uno se atrevería a decir que más bien tiene que ver con las peores pesadillas de Jack el Destripador *pintadas por un autor hiperrealista. ¿Qué más podemos decir? Que lo pensamos dos veces antes de animarnos a incluirla en* ETIQUETA NEGRA, *y que una vez que nos decidimos, contratamos una segunda novela de T. Jonquet:* La bestia y la bella, *un libro que recibió el reconocimiento de ser publicado como el número dos mil de la serie negra de Gallimard, y que pronto podremos leer en español.*

PACO IGNACIO TAIBO II

Primera parte

LA ARAÑA

1

Richard Lafargue recorría lentamente la avenida cubierta de grijo que llevaba al pequeño estanque enclavado en el bosquecillo lindante con el muro que delimitaba la villa. La noche, de julio, era clara y el cielo estaba salpicado por una lluvia de resplandores lechosos.

Escondida tras los nenúfares, la pareja de cisnes dormía serenamente; la hembra con el cuello bajo el ala, grácil, blandamente apoyada en el cuerpo más poderoso del macho.

Lafargue cortó una rosa y aspiró unos instantes su olor dulzón, casi empalagoso, antes de volver sobre sus pasos. Más allá de la avenida bordeada de tilos se erguía la casa, masa compacta y sin gracia, pesada silueta negra salpicada de manchas luminosas... En la planta baja la antecocina donde Lina —la doncella— comía, una zona más luminosa hacia la derecha de donde llegaba un rumor sordo; el garaje donde Roger —el chófer— arrancaba el motor del Mercedes. Y, finalmente, el gran salón cuyas oscuras cortinas sólo dejaban filtrar tenues rayos de luz.

Lafargue levantó la vista hacia el primer piso y su mirada se detuvo en las ventanas del apartamento de Eva. Un delicado resplandor, una persiana entreabierta por donde escapaban las notas de una tímida música, un piano, los primeros compases de aquella melodía, «The Man I Love...».

Lafargue reprimió un gesto de irritación y, bruscamente, entró en la villa dando un portazo, fue hasta la escalera casi corriendo y subió rápidamente conteniendo la respiración. Cuando llegó al piso levantó el puño, luego se contuvo y se resignó a llamar suavemente con el nudillo del índice.

Abrió los tres cerrojos que bloqueaban desde fuera la puerta del apartamento en el que vivía la que obstinadamente se mantenía sorda a su llamada.

Sin hacer ruido cerró la puerta y se introdujo en el gabinete. La habitación estaba a oscuras, sólo la lamparilla con pantalla que estaba sobre el piano proporcionaba una tamizada claridad. Al fondo de la habitación, contiguo al gabinete, el neón crudo del cuarto de baño marcaba con una luminosa mancha blanca el final del apartamento.

En penumbra se dirigió hacia el tocadiscos y lo apagó, interrumpiendo las primeras notas de la melodía que en el disco seguía a «The Man I Love».

Contuvo su ira antes de murmurar con tono neutro, exento de reproches, un comentario —de todos modos punzante— sobre la razonable duración de una sesión de maquillaje, de la elección de un vestido y de las joyas apropiadas al tipo de velada a la que él y Eva estaban invitados...

A continuación se dirigió al cuarto de baño y reprimió un juramento cuando vio a la joven descansando cómodamente en un espeso nido de espuma azulada. Suspiró. Su mirada se cruzó con la de Eva; el reto que le pareció descubrir en ella le hizo lanzar una carcajada. Movió la cabeza, casi divertido por aquella chiquillada, antes de salir del apartamento...

De nuevo en el gran salón de la planta baja se sirvió un *whisky* escocés en el bar instalado cerca de la chimenea y lo bebió de un trago. El alcohol le quemó el estómago y su cara se llenó de muecas. Se dirigió entonces al interfono conectado con el apartamento de Eva, pulsó la tecla y se aclaró la garganta antes de gritar, con la boca pegada a la rejilla de plástico:

—¡Venga, date prisa, zorra!

Eva se sobresaltó violentamente cuando los dos altavoces de 300 vatios, empotrados en los tabiques del gabinete, reprodujeron con toda su potencia el grito de Richard.

Se estremeció antes de salir, sin prisas, de la inmensa bañera redonda y de ponerse un albornoz de felpa. Fue a sentarse ante el tocador y empezó a maquillarse manejando el lápiz de ojos con delicados y rápidos gestos.

El Mercedes dejó la villa de Vésinet conducido por Roger y se dirigió a Saint-Germain. Richard observaba a Eva, quien, indolente a su lado, fumaba con dejadez, llevando con regularidad la boquilla de marfil a sus finos labios. Las luces de la ciudad penetraban a ráfagas intermitentes en el coche, surcando de resplandores efímeros el vestido tubo de seda negra.

Eva se mantenía con la cabeza inclinada hacia atrás y Richard no podía ver su cara, solamente iluminada por el breve resplandor rojizo del cigarrillo.

No se entretuvieron en la fiesta organizada por uno de tantos especuladores que querían de aquella manera hacer notar su existencia ante la aristocracia de la zona. Deambularon —Eva al brazo de Richard— entre los numerosos invitados. Una orquesta instalada en el parque tocaba música suave. Se formaban grupos cerca de las mesas y de los bufetes diseminados a lo largo de los paseos.

No pudieron evitar a una o dos sanguijuelas mundanas que se les pegaron y tuvieron que beber algunas copas de champán, brindando por el anfitrión. Lafargue encontró a algunos colegas y entre ellos a un miembro de la directiva del Colegio; lo felicitaron por su último artículo en *La Revista del Practicante.* En el curso de la conversación incluso prometió su participación en una conferencia sobre la cirugía reparadora de mama con ocasión de las próximas jornadas de Bichat. Más tarde se maldijo por haber caído en la trampa cuando podía haber rechazado cortésmente la invitación que le habían hecho.

Eva se mantuvo al margen y parecía pensativa. Disfrutaba de las miradas concupiscentes que algunos invitados se arriesgaban a lanzarle y se deleitaba respondiendo con una mueca de condescendiente desdén, casi imperceptible.

Eva abandonó un momento a Richard y se acercó a la orquesta para pedirles que tocaran «The Man I Love». Cuando los primeros compases —suaves y lánguidos— sonaron ya había regresado al lado de Lafargue. Una sonrisa socarrona afloró a sus labios cuando el rostro del doctor denotó dolor. La cogió delicadamente por la cintura para apartarla un poco de donde estaban. El saxofonista inició un solo quejumbroso y Richard tuvo que contenerse para no abofetear a su compañera.

Finalmente, hacia las doce de la noche, se despidieron del anfitrión y volvieron a la villa de Vésinet. Richard acompañó a Eva hasta su habitación. Sentado en el sofá, contempló cómo se desvestía, primero maquinalmente, luego con languidez, frente a él, mirándolo con ironía.

Las manos en las caderas, las piernas abiertas, se plantó frente a él, el vello del pubis a la altura de su cara. Richard se encogió de hombros y se levantó para ir a buscar un cofrecillo de nácar que estaba en un estante de la biblioteca. Eva se tumbó sobre una estera en el suelo. El se agachó en cuclillas a su lado, abrió el cofrecillo y sacó una larga pipa y el papel de plata que contenía las bolitas aceitosas.

Llenó delicadamente la pipa e hizo chisporrotear una cerilla en la cazoleta antes de tendérsela a Eva. Ella aspiró largas bocanadas. El olor dulzón se expandió por la habitación. Tumbada de lado, acurrucada, fumaba mirando a Richard. Pronto su mirada se enturbió y sus ojos se pusieron vidriosos... Richard ya estaba preparando otra pipa.

Una hora más tarde la dejó después de haber cerrado con doble vuelta los tres cerrojos del apartamento. Una vez en su habitación se desvistió y contempló detenidamente en el espejo su cabeza entrecana. Sonrió a su rostro, a sus cabellos blancos, a las numerosas y profundas arrugas que surcaban su cara. Extendió ante sí sus manos abiertas, finas, que contrastaban con su cuerpo macizo y musculoso.

Luego cerró los ojos y esbozó el gesto de desgarrar un objeto imaginario. Por fin en la cama, dio vueltas durante muchas horas antes de dormirse al amanecer.

2

Lina, la doncella, tenía el día libre y fue Roger el que preparó el desayuno aquel domingo. Tuvo que llamar varias veces a la puerta de la habitación de Lafargue antes de obtener respuesta.

Richard comió con apetito, dando grandes mordiscos a los *croisssants* frescos. Se sentía alegre, casi juguetón. Se puso un pantalón vaquero y una camisa ligera, se calzó unos mocasines y salió a dar un paseo por el parque.

Los cisnes nadaban a lo largo y a lo ancho del estanque. Se acercaron a la orilla cuando Lafargue apareció por el bosquecillo de lilas. Les lanzó algunos trozos de pan y se agachó para darles de comer en la mano.

Luego caminó por el parque; los macizos de flores salpicaban con manchas de vivos colores la gran extensión de césped recientemente cortado. Se dirigió a la piscina, de unos veinte metros, construida al fondo del parque. La calle, e incluso las villas de los alrededores, estaban ocultas por el muro que rodeaba toda la propiedad.

Encendió un cigarrillo rubio y le dio una calada antes de soltar una larga carcajada y volver a la casa. En la antecocina Roger había dejado la bandeja con el desayuno para Eva. Una vez en el salón, Richard pulsó la tecla del interfono y gritó con todas sus fuerzas:

—¡Arriba! ¡Desayuno!

Luego subió al piso.

Abrió los cerrojos y entró en la habitación. Eva todavía dormía en la gran cama de baldaquino. Su rostro asomaba apenas entre las sábanas y sus negros cabellos, abundantes y rizados, formaban una mancha oscura sobre el satén malva.

Lafargue se sentó en el borde de la cama y dejó la bandeja al lado de Eva. Ella mojó el extremo de los labios en el zumo de naranja y empezó a comer con desgana una tostada untada de miel.

—Estamos a veintisiete... —dijo Richard—. Hoy es el último domingo del mes. ¿Lo habías olvidado?

Eva negó débilmente con la cabeza sin mirar a Richard. Sus ojos carecían de expresión.

—Bien —siguió diciendo él—, salimos dentro de tres cuartos de hora.

Y se fue del apartamento. De vuelta en el salón, se acercó al interfono y gritó:

—He dicho tres cuartos de hora, ¿has comprendido, zorra?

Eva se había quedado rígida para soportar la voz desmesuradamente ampliada por los altavoces.

El Mercedes había caminado tres horas antes de dejar la autopista para tomar una carretera comarcal llena de curvas. El paisaje normando aparecía aplanado por efecto del calor del verano. Richard se preparó una soda helada y le ofreció un refresco a Eva, que dormitaba con los ojos semicerrados; como ella no lo quiso, cerró la puerta del pequeño frigorífico.

Roger conducía rápidamente pero con habilidad, tomando las curvas suavemente.

Aparcó el Mercedes a la entrada de un castillo en miniatura situado en el límite de un pueblecito. Un bosque muy cerrado rodeaba el lugar, algunas de cuyas dependencias, protegidas por una verja, estaban próximas a las primeras casas del pueblo. Sentados en el porche, grupos de personas disfrutaban del sol. Mujeres con bata blanca circulaban cargadas con bandejas llenas de vasos de plástico de varios colores.

Richard y Eva subieron el tramo de escalera que conducía a la entrada y se dirigieron a la mesa de recepción, ocupada por una imponente matrona que llevaba una cofia blanca sobre sus cabellos teñidos. Sonrió a Lafargue, estrechó la mano de Eva y llamó a un enfermero. Eva y Richard, acompañados por el enfermero, tomaron un ascensor que se detuvo en el tercer piso. Un largo pasillo creaba una perspectiva rectilínea interrumpida por huecos con puertas provistas de mirillas rectangulares de plástico translúcido. El enfermero, sin decir nada, abrió la séptima puerta a la izquierda contando desde el ascensor y se apartó para dejar pasar a la pareja.

Una mujer estaba sentada en la cama, una mujer muy joven a pesar de sus arrugas y de sus hombros encorvados. Ofrecía el penoso espectáculo de un envejecimiento prematuro que había dejado profundos surcos en un rostro, sin embargo, todavía infantil. Los cabellos en desorden formaban una pelambrera espesa, llena de remolinos. Los ojos, desorbitados, giraban en todas direcciones. La piel estaba llena de postillas negruzcas. El labio inferior temblaba espasmódicamente y su tronco se columpiaba lentamente hacia adelante y hacia atrás, con regularidad, como un metrónomo. No llevaba más que una camisa de tela azul, sin bolsillos. Sus pies desnudos flotaban dentro de unas zapatillas de pompones.

No parecía haberse dado cuenta de la entrada de los visitantes. Richard se sentó a su lado y le cogió la barbilla para girarle la cara hacia él. La mujer era dócil, pero nada en su expresión o en sus gestos transparentaba ni el más mínimo sentimiento o emoción.

Richard la cogió por los hombros y la acercó hacia sí. El balanceo cesó. Eva, de pie cerca de la cama, miraba el paisaje a través de la ventana de cristales reforzados.

—Viviane —murmuró Richard—, Viviane, querida...

De repente se levantó y agarró a Eva por el brazo obligándola a volverse hacia Viviane, que había vuelto a su balanceo con la mirada extraviada.

—Dale... —dijo en susurros.

Eva abrió el bolso para sacar una caja de bombones rellenos. Se inclinó y tendió la caja a aquella mujer, Viviane.

Con gestos desordenados Viviane se apoderó de la caja, le arrancó la tapa y con glotonería se puso a devorar los bombones, todos, uno tras otro. Richard la miraba atontado.

—Bueno, ya basta... —suspiró Eva.

Y empujó suavemente a Richard fuera de la habitación. El enfermero, que esperaba en el pasillo, cerró la puerta mientras Eva y Richard se dirigían al ascensor.

Volvieron a la recepción y cruzaron algunas palabras con la enfermera de la cofia blanca. Luego Eva le hizo un gesto al chófer que, apoyado en el Mercedes, leía *L'Equipe.* Richard y Eva se instalaron en la parte de atrás y el coche tomó la carretera comarcal que llevaba a la autopista para volver a la región de París y finalmente a la villa de Vésinet.

Richard había encerrado a Eva en el apartamento del primer piso y había dado permiso a los sirvientes para el resto del día. Se relajó en el salón, picoteando los platos fríos que había preparado Lina antes de irse. Eran cerca de las cinco cuando se marchó hacia París al volante del Mercedes.

Aparcó cerca de la plaza de la Concordia y entró en un edificio de la calle Godot de Mauroy. Con el llavero en la mano subió tres pisos a paso rápido. Abrió la puerta de un estudio lujosamente amueblado. La espesa moqueta y las cortinas de terciopelo púrpura daban una nota cálida a aquella habitación de unos treinta metros cuadrados amueblada únicamente con una gran cama.

En la mesita había un aparato telefónico con contestador automático. Richard puso en marcha el magnetofón y escuchó las llamadas. Había habido tres durante los dos últimos días. Voces roncas, entrecortadas: voces de hombres que dejaban un mensaje para Eva. Anotó las horas de cita propuestas. Salió del estudio, bajó rápidamente a la calle y se metió en el coche. De regreso ya en Vésinet se dirigió al interfono y, con voz zalamera, llamó a la joven.

—Eva, ¿me oyes? ¡Tres! ¡Esta noche!

Subió al piso.

Ella estaba en el gabinete pintando una acuarela. Un paisaje tranquilo, encantador; un claro luminoso y, en medio del lienzo, dibujado al carbón, el rostro de Viviane. Richard se echó a reír, cogió del tocador un frasco de esmalte de uñas rojo y vertió su contenido sobre la acuarela.

—¿Nunca va a cambiar? —susurró.

Eva se había levantado y guardaba metódicamente los pinceles, los colores, el caballete. Richard la atrajo hacia sí, tocando casi con su cara la de ella y murmuró:

—Le agradezco de todo corazón esa docilidad que le hace plegarse a mis deseos...

La cara de Eva se crispó; de su garganta brotó un quejido prolongado, sordo y grave. Luego su mirada se encendió de cólera.

—¡Suéltame, so cabrón!

—¡Ah! ¡Qué divertido! ¡Sí! Le aseguro que está usted encantadora cuando se subleva...

Ella se había soltado del abrazo. Se arregló el cabello y la ropa.

—Bien —dijo ella—. ¿Esta noche? ¿Es ése su deseo? ¿Cuándo nos vamos?

—¡Ahora mismo!

No cruzaron ni una palabra durante el trayecto. Entraron en el estudio de la calle Godot de Mauroy sin haberse dicho nada.

Eva abrió el armario y se desvistió. Guardó su ropa antes de disfrazarse con botas negras altas, falda de cuero y medias de malla. Se pintó la cara —polvos blancos, lápiz de labios escarlata— y se sentó en la cama.

Richard salió del estudio y entró en el de al lado. En una de las paredes un espejo unidireccional permitía observar sin ser visto lo que pasaba en la habitación en la que Eva esperaba.

El primero, un comerciante sesentón, asmático y rojo de apoplejía, llegó poco más de media hora después. El segundo, hacia las nueve; un farmacéutico provinciano que visitaba a Eva periódicamente y se conformaba con verla deambular desnuda por la estrecha habitación. Por fin, el tercero, al que Eva tuvo que esperar tras haber pedido por teléfono, todo azorado, que lo recibiera. Era un hijo de buena familia, un homosexual reprimido, que se excitaba mientras caminaba profiriendo insultos y se masturbaba llevado por Eva de la mano en sus idas y venidas.

Richard, tras el espejo, disfrutaba del espectáculo, riendo en silencio, sentado en una mecedora, aplaudiendo ante cada gesto de asco de la mujer.

Cuando todo terminó, la fue a buscar. Ella había recuperado su aspecto habitual y cambiado su ropa de cuero por un traje sastre de hechura sobria.

—¡Ha sido perfecto! ¡Sigue siendo usted perfecta...! ¡Maravillosa y paciente! Vamos...

La cogió del brazo y la llevó a cenar a un restaurante eslavo. Dio un montón de billetes a los músicos de la orquesta zíngara que tocaron en su mesa, los billetes que había cogido de la mesilla después de que los clientes de Eva los hubieran dejado allí a cambio del servicio realizado...

Recuerda. Era una noche de verano. Hacía un calor insoportable, pegajoso, pesado; de tormenta que tarda en llegar. Cogiste la moto para largarte en la noche. El aire de la noche, pensabas, me sentará bien.

Ibas de prisa. El viento hinchaba tu camisa y hacía revolotear los faldones ruidosamente. Los insectos se estrellaban en tus gafas, en tu cara, pero ya no tenías calor.

Pasó bastante tiempo antes de que te empezaras a inquietar por la presencia de aquellos dos faros blancos que horadaban la oscuridad de tu camino. Dos ojos eléctricos, enfocados sobre ti y que no te abandonaban. Preocupado, pusiste a tope el motor de la 125, pero el coche que te perseguía era potente. No le costaba ningún trabajo mantenerse detrás.

Zigzagueabas por el bosque, al principio ansioso, después aterrorizado por la insistencia de aquella mirada que no te abandonaba. Por el retrovisor pudiste ver que el conductor iba solo. No parecía querer acercarse a ti.

Por fin llegó la tormenta. Una lluvia primero fina y a continuación recia. A cada curva el coche reaparecía. Empapado, tuviste un escalofrío. El indicador de la gasolina de la 125 empezó a encenderse peligrosamente. Sólo quedaba para algunos kiló-

metros. Dando vueltas y más vueltas por el bosque te habías perdido. No sabías qué dirección tomar para llegar al pueblo más cercano.

La calzada estaba resbaladiza, aminoraste la marcha. De golpe, el coche se acercó adelantándote e intentando hacerte derrapar hacia el arcén.

Frenaste, la moto giró en redondo. Aceleraste el motor para escapar en sentido inverso, escuchaste el chirrido de sus frenos: él también había girado y te seguía persiguiendo. La noche era negra y las trombas de agua que caían del cielo te impedían distinguir la carretera ante ti.

De repente enfilaste la rueda delantera hacia un montículo, con la esperanza de atajar a través de la maleza, pero el barro te hizo derrapar. La 125 se cayó de lado y el motor se caló. Intentaste levantarla, pero no era fácil.

De nuevo en el sillín accionaste el pedal de arranque, pero la gasolina se había acabado. Una potente antorcha iluminó el bosque... El haz de luz te sorprendió cuando corrías a guarecerte en el tronco de un árbol. Palpaste, en la caña de la bota, el filo de tu navaja, aquel puñal de la Wehrmacht que siempre llevabas...

Sí, el coche también se había detenido y sentiste un nudo en el estómago cuando viste aquella silueta maciza que empuñaba un fusil. El cañón te apuntaba. La detonación se mezcló con los truenos. La antorcha estaba encima del coche. Se apagó.

Corriste hasta quedar exhausto. Te destrozabas las manos al apartar la maleza para abrirte paso. De vez en cuando la antorcha se encendía, una ráfaga de luz surgía de nuevo detrás de ti iluminando tu huida. No entendías nada, el corazón te palpitaba enloquecido, la capa de barro de tus botas hacía más penosa la marcha. En la mano, apretabas el puñal.

¿Cuánto tiempo duró la persecución? Ya sin aliento, saltabas por encima de los árboles derribados, en la oscuridad. Un tronco te hizo tropezar y te caíste al suelo, empapado.

Tirado en el suelo oíste aquel grito, un bufido bestial. Saltó sobre ti aplastándote la mano con el tacón de la bota. Soltaste el puñal. Luego se abalanzó sobre ti, sus manos te agarraron por los hombros; una de ellas subió hasta tu boca y la otra apre-

tó tu cuello mientras que con su rodilla te aplastaba los riñones. Intentaste morderle la palma de la mano, pero tus dientes sólo encontraron un pegote de tierra.

Te mantenía doblado contra él. Estuvisteis así, soldados el uno al otro en la oscuridad... Dejó de llover.

3

Alex Barny descansaba en la cama plegable de la habitación abuhardillada. No hacía nada, nada más que esperar. El canto de las cigarras que poblaban el monte provocaba un ruido ensordecedor. Por la ventana, Alex distinguía las siluetas irregulares de los olivos, retorcidos en la noche, paralizados en poses estrafalarias; con la manga de la camisa se secó la frente perlada por un sudor agrio.

La bombilla desnuda, colgada de un cable, atraía nubes de mosquitos; cada cuarto de hora Alex tenía un ataque de ira y rociaba a los insectos con una nube de insecticida. En el suelo de cemento se extendía una vasta mancha negra de cadáveres aplastados, salpicada de puntos rojos.

Alex se levantó dificultosamente y, cojeando, apoyado en un bastón, salió de la habitación para dirigirse a la cocina del caserío perdido en el campo casi desierto, en algún lugar entre Cagnes y Grasse.

La nevera estaba repleta de variados alimentos. Alex cogió una lata de cerveza, la abrió y bebió. Eructó ruidosamente, abrió otra lata y salió de la casa. A lo lejos, más abajo de las colinas erizadas de olivos, el mar brillaba al claro de luna, resplandeciente bajo un cielo desprovisto de nubes.

Alex dio algunos pasos con cuidado. Notó en el muslo una dolorosa punzada. El vendaje le oprimía la carne. Desde hacía dos días no supuraba, pero la herida tardaba en cerrar. La bala había atravesado la masa muscular sin afectar, milagrosamente, la arteria femoral y el hueso.

Alex se apoyó con una mano en un tronco de olivo y orinó, ahuyentando con el chorro una columna de hormigas que afanosamente transportaban un increíble montón de ramitas.

Bebió de nuevo chupando la lata de cerveza y escupió la espuma que le había llenado la boca. Se sentó en el banco del mirador, resopló, volvió a eructar... Sacó un paquete de Gauloises del bolsillo del *short*. La cerveza le había salpicado la camiseta, ya manchada de grasa y polvo. Se pellizcó el vientre a través de la tela, cogiendo un pliegue de piel entre el pulgar y el índice. Estaba engordando. En estas tres semanas de ocio forzoso, sólo ocupado en dormir y comer, había engordado.

Con el pie aplastó el papel de un periódico de hacía quince días, tapando con el talón la cara que aparecía en primera página. La suya. Un texto de una columna en letra gorda en el que destacaba en mayúsculas todavía mayores su nombre: Alex Barny.

Otra foto, más pequeña: un tipo cogiendo por el hombro a una mujer con un niño en brazos. Alex se aclaró la garganta y escupió sobre el periódico. La saliva, que contenía algunas briznas de tabaco, fue a parar sobre la cara del bebé. Alex escupió de nuevo y esta vez no erró el tiro: la cara del policía sonriendo a su familia. Este poli ahora muerto...

Vació el resto de cerveza sobre el periódico y la tinta se diluyó, dejando la foto borrosa y arrugando el papel. Se sumió en la contemplación de los regueros de líquido que iban manchando poco a poco la página. Luego, bruscamente, la rompió con los pies.

Sintió angustia. Sus ojos se empañaron, pero las lágrimas no aparecieron: los sollozos que querían salir de su garganta se secaron dejándolo desamparado. Alisó la gasa del vendaje, arregló los pliegues y la apretó cambiando el imperdible de lugar.

Se quedó así, con las manos abiertas sobre las rodillas, mirando la noche. Los primeros días, recién llegado al caserío, le costó un trabajo enorme acostumbrarse a la soledad. La herida infectada le daba un poco de fiebre, le zumbaban los oídos con una sensación desagradable que se mezclaba con el canto de las cigarras. Miraba atentamente la maleza y a veces le parecía que un tronco se movía; los ruidos de la noche lo ponían nervioso. Siempre llevaba el revólver en la mano o, cuando estaba tumbado, sobre su estómago. Tuvo miedo de volverse loco, de empezar a delirar, de no acordarse nunca más de nada.

La bolsa con el dinero estaba al pie de la cama. Dejaba los brazos colgando por el larguero de hierro y hundía la mano en los fajos, los revolvía, los palpaba, disfrutando con este contacto.

Tenía momentos de euforia, repentinamente estallaba en carcajadas diciéndose que, después de todo, no podía pasarle nada. No lo encontrarían. Aquí estaba a salvo. No había ninguna casa en un kilómetro al menos. Unos turistas holandeses o alemanes que habían comprado el caserío en ruinas y pasaban allí sus vacaciones..., o *hippies* con rebaños de cabras, o un alfarero... ¡Nada que temer! Durante el día observaba, a veces, la carretera y los alrededores con los gemelos. Los turistas daban largos paseos a pie, cogían flores. Los niños eran increíblemente rubios, dos niñas y un chico un poco mayor. Su madre tomaba el sol desnuda en el tejado de la casa. Alex la espiaba, magreándose la entrepierna y echando pestes.

Entró en el comedor para prepararse una tortilla. La comió en la misma sartén, mojando los residuos babosos con un trozo de pan. Luego jugó a los dardos, pero las idas y venidas necesarias para recuperar los proyectiles después de cada jugada lo fatigaron enseguida. También había una máquina de petacos que funcionaba a su llegada pero estaba estropeada desde hacía una semana.

Encendió la tele. Dudó entre una de vaqueros en la cadena tres o un espectáculo de variedades en la primera. La de vaqueros contaba la historia de un bandido que había llegado a juez después de haber tenido aterrorizado a todo un pueblo. Aquel tipo estaba loco, se paseaba con un oso y su cabeza tenía una posición extraña, inclinada hacia un lado: el bandido juez había sobrevivido a la horca... Alex quitó el sonido.

Había visto una vez en París un juez, de los de verdad, vestido de rojo y con una especie de cuello de piel blanca. En el Palacio de Justicia de París. Vincent lo había arrastrado hasta allí para asistir a un proceso criminal. Estaba un poco loco Vincent, su amigo, el único amigo de Alex.

Ahora Alex estaba metido en un buen follón. En esta situación, pensaba, Vincent sabría qué hacer..., cómo salir de este agujero sin dejarse agarrar por la bofia, cómo colocar los billetes, sin duda marcados, cómo llegar a un país extranjero y arreglárselas allí para que se olvidaran de ellos. Vincent hablaba inglés, español...

Y, además, Vincent no habría caído en la trampa tan estúpidamente. Habría previsto al poli, la cámara disimulada en el techo que había filmado las hazañas de Alex. ¡Y qué hazañas! Su llegada a la sucursal gritando, apuntando con el revólver al cajero...

A Vincent se le habría ocurrido hacer recuento de los clientes habituales de los lunes, especialmente ese poli, ahora fiambre, que iba a las diez para sacar dinero suelto antes de ir a hacer las compras al Carrefour próximo. Vincent se habría puesto una capucha, habría disparado sobre la cámara... Alex tenía una capucha, pero el poli se la había arrancado. Vincent no habría esperado para cargarse a aquel tipo que había querido jugar a los héroes, hasta el punto de morir...

Pero fue Alex —paralizado por la sorpresa, sólo un instante, una fracción de segundo, antes de tomar la decisión: ¡disparar inmediatamente!—, Alex el que se había dejado sorprender, Alex el que había recibido esa bala en el muslo, Alex el que se había arrastrado fuera, chorreando sangre, con una bolsa llena de billetes en la mano. No, sin duda Vincent habría salido mejor parado.

Vincent ya no estaba allí. Nadie sabía dónde se escondía. ¿Estaría muerto? En cualquier caso, su ausencia había resultado desastrosa.

De todas formas, Alex había espabilado. Después de la desaparición de Vincent había buscado nuevos amigos que le habían proporcionado papeles falsos y este escondite perdido entre la maleza. Hacía ya casi cuatro años que Vincent había desaparecido, en ese tiempo Alex había cambiado mucho. La granja de su padre, el tractor y las vacas quedaban muy lejos. Había trabajado de matón en una discoteca en Meaux. Sus manos de pala hacían estragos algunos sábados por la noche entre los clientes borrachos y camorristas. Alex tenía ropa buena, una gruesa sortija, un coche. ¡Era casi un señor!

Y a fuerza de dar hostias por cuenta de otros, decidió que, después de todo, no estaría mal dar hostias por cuenta propia. Alex había dado hostias, hostias, hostias. A altas horas de la noche, en los barrios finos de París, a la salida de las discotecas, de los restaurantes... Una auténtica cosecha de carteras, más o menos repletas, tarjetas de crédito, tan prácticas para pagar las facturas de su ropa, ahora tan espléndida...

Luego Alex se hartó de dar tantas y tan frecuentes hostias para resultados tan insignificantes. De una sola vez, en el banco, dando un buen golpe, podía prescindir de seguir dando hostias en lo que le quedara de vida.

Se había tirado sobre el sofá, la mirada clavada en la pantalla de la tele, ahora vacía, recorrida por rayas resplandecientes. Una rata pasó chillando por el borde de un zócalo, muy cerca de su mano. Con un gesto rápido, alargó el brazo con la palma abierta y sus dedos se cerraron sobre el pequeño cuerpo peludo. Sintió los latidos del minúsculo corazón enloquecido. Se acordó de las ruedas del tractor cuando, en los campos, hacían huir a las ratas y a los pájaros escondidos en los setos.

Acercó el ratón a su cara y empezó a apretar suavemente. Sus uñas se hundían en la piel sedosa. Los chillidos se hicieron más agudos. Entonces vio de nuevo la página del periódico, la letra gorda, su foto prisionera entre aquellas columnas baratas de los periodistas.

Se levantó, volvió hacia la escalera de la casa y, con todas sus fuerzas, tiró a lo lejos la rata.

Tenías ese sabor de tierra húmeda en la boca, aquel barro viscoso cubriéndote, ese contacto tibio y suave en el pecho —se te había desgarrado la camisa—, olor a moho, a madera podrida. Y la tenaza de sus manos alrededor de tu cuello, en tu cara, dedos crispados que te tenían prisionero, aquella rodilla apoyada en tus riñones cargando todo su peso, como si hubiera querido incrustarte en el suelo para hacerte desaparecer.

Jadeaba, recuperaba el aliento. Tú ya no te podías mover; esperar, sólo esperar. El puñal estaba allí en la hierba, en algún lugar a la derecha. En algún momento, dentro de poco, tendría que aflojar el abrazo. Entonces, con un movimiento de cadera, podrías desconcertarlo, hacerle caer, apoderarte del puñal y matarlo, matarlo, sacarle las tripas a este cabrón.

¿Quién era? ¿Un loco? ¿Un sádico que iba a ligar al bosque? Llevábais largos segundos yaciendo los dos, dolorosamente abrazados en medio del barro, acechando vuestras respiraciones en la noche. ¿Quería matarte? ¿Violarte antes?

El bosque estaba en completo silencio, inerte, como vacío de vida. El no decía nada, respiraba más tranquilamente. Tú esperabas algún gesto por su parte. ¿Su mano dirigiéndose a tu bajo vientre? Algo parecido... Poco a poco habías conseguido dominar el miedo, estabas preparado para luchar, para hundirle los dedos en los ojos, para buscarle el cuello y mordérselo. Pero no sucedía nada. Seguías allí, debajo de él, esperando.

Y entonces se rió. Con una risa alegre, sincera, pueril. Una risa de niño ante un regalo de Reyes. La risa enmudeció. Escuchaste su voz tranquila, neutra.

—No temas, pequeño, no te muevas, no voy a hacerte daño...

Su mano izquierda dejó tu cuello para encender la antorcha. El puñal seguía allí, en la hierba, a menos de veinte centímetros. Pero con el pie pisó todavía con más fuerza tu mano antes de tirar el puñal a lo lejos. Tu última posibilidad...

Dejó la antorcha en el suelo y agarrándote por el pelo giró tu cabeza hacia el haz de luz amarilla. Te cegaste. Habló de nuevo.

—Sí..., eres tú.

La rodilla cada vez te pesaba más. Gritaste, pero te puso un trapo maloliente en la cara. Luchaste para no sucumbir, pero cuando, poco a poco, aflojó el abrazo, estabas atontado. Un gran torrente negro, burbujeante, venía hacia ti.

Tardaste mucho en salir del sopor. Tus recuerdos eran confusos. ¿Habías tenido una pesadilla, un espantoso sueño en tu cama?

No, todo estaba negro como la noche del sueño, pero ahora estabas completamente despierto. Gritaste mucho tiempo. Intentaste moverte, levantarte.

Pero tus manos y pies estaban atados con cadenas que sólo te permitían una libertad de movimientos muy reducida. En la oscuridad, palpaste el suelo sobre el que estabas. Un suelo duro, cubierto por una especie de hule. Y detrás, una pared tapizada con material aislante. Las cadenas estaban ancladas sólidamente a la pared. Tiraste de ellas, apoyando un pie contra la pared, pero hubieran podido resistir una tracción mucho más fuerte.

Fue entonces cuando te diste cuenta de tu desnudez. Estabas desnudo, totalmente desnudo, atado con cadenas a una pared. Palpaste tu cuerpo febril en busca de llagas cuyo dolor hubiera enmudecido, pero tu fina piel estaba lisa, sin sensación de dolor.

No hacía frío en aquella habitación oscura. Estabas desnudo, pero no tenías frío. Llamaste, gritaste, aullaste... Luego lloraste, golpeando la pared con los puños, sacudiendo las cadenas, chillando de rabia impotente.

Te parecía que llevabas horas gritando. Te sentaste en el suelo, sobre el hule. Pensaste que te habían drogado, que todo aquello era una alucinación, un delirio... O que te habías muerto esa noche, yendo en moto; el recuerdo de tu muerte se te escapaba de momento, pero quizás volviera. Sí, eso era la muerte, estar encadenado en la oscuridad, sin saber nada de nada...

Pero no, vivías. Gritaste de nuevo. El sádico te había atrapado en el bosque; sin embargo, no te había hecho ningún daño, no, ninguno...

Me he vuelto loco... Pensaste. Tu voz era débil, rota, ronca, tenías la garganta reseca, no podías gritar más.

Entonces tuviste sed.

Te dormiste. Cuando despertaste, la sed estaba allí agazapada en la oscuridad, esperándote. Había velado pacientemente tu sueño. Te atenazaba la garganta, insistente y perversa. Un polvo rasposo y compacto te tapizaba la boca con partículas que crujían en contacto con tus dientes; no era simple gana de beber, no, era una cosa muy distinta que no habías conocido hasta ahora y cuyo nombre sonoro y claro restallaba como un latigazo: la sed.

Trataste de pensar en otra cosa. Recitaste mentalmente poemas. De vez en cuando te levantabas para pedir socorro golpeando la pared. Aullabas «tengo sed», luego murmurabas «tengo sed», finalmente sólo podías pensar «tengo sed». Imploraste, quejumbroso, suplicaste que te dieran de beber. Lamentaste haber orinado al principio, muy al principio; habías estirado al máximo las cadenas para mear a lo lejos para que el trozo de hule que hacía de jergón no se manchara. Voy a morir de sed, tenía que haber bebido la meada...

Te volviste a dormir. ¿Horas o sólo minutos? Imposible saberlo, desnudo, en la oscuridad, sin ninguna referencia.

Pasó bastante tiempo. De repente comprendiste: ¡se trataba de un error! Te habían tomado por otro, no era a ti a quien querían torturar de ese modo. Entonces sacaste fuerzas de flaqueza para gritar:

—¡Señor, se lo suplico! ¡Venga..., se ha equivocado! ¡Yo soy Vincent Moreau! ¡Está usted equivocado! ¡Vincent Moreau, Vincent Moreau!

Entonces te acordaste de la antorcha en el bosque. El haz de luz amarilla en tu cara y su voz sorda que había dicho: «sí, eres tú...».

Así que eras tú.

Segunda parte

EL VENENO

1

Richard Lafargue se levantó temprano aquella mañana. Tenía una jornada desbordante de trabajo. Saltó de la cama, hizo algunos largos de piscina y desayunó en el parque, disfrutando del sol matutino, mientras recorría distraídamente los titulares de la prensa.

Roger lo esperaba al volante del Mercedes. Antes de salir fue a saludar a Eva, todavía dormida. La abofeteó suavemente para despertarla. Ella se levantó de un salto, asustada. La sábana había resbalado y Richard contempló la curva graciosa de sus pechos. La acarició, recorriendo con el índice desde los costados al pezón.

Ella no pudo evitar reírse, cogió su mano y la dirigió hacia su vientre. Richard hizo un movimiento de rechazo. Se levantó y salió de la habitación. En el umbral se volvió. Eva había retirado la sábana del todo y le tendía los brazos. Volvió a reír.

—¡Imbécil! —gritó—, ¡te mueres de ganas!

El se encogió de hombros, giró en redondo y desapareció.

Media hora más tarde estaba en el hospital, en el centro de París. Dirigía un servicio de cirugía plástica de fama internacional. Pero allí sólo trabajaba por las mañanas, reservando las tardes para la clínica de su propiedad en Boulogne.

Se encerró en su despacho para estudiar la historia de la intervención prevista para el día. Sus ayudantes lo esperaban con impaciencia. Después de haberse tomado el tiempo necesario para reflexionar, se puso la ropa estéril y entró en el quirófano.

La sala estaba coronada por un anfiteatro con gradas, separada del quirófano por un cristal. Los numerosos espectadores —médicos y estudiantes— esperaban; escucharon la voz de Lafargue, deformada por los altavoces, exponer el caso.

—Bien, tenemos en la frente y las mejillas anchas placas queratógenas: se trata de una quemadura por explosión de un ebullidor químico. La pirámide nasal es prácticamente inexistente, los párpados están destruidos. Estamos ante una indicación típica de tratamiento con injertos cilíndricos... Vamos a utilizar piel del brazo y del abdomen...

Con ayuda de un bisturí Lafargue iba cortando anchos rectángulos de piel del vientre del paciente. Encima de él, las caras de los espectadores se apretaban contra los cristales. Una hora más tarde, podía mostrar un primer resultado: jirones de piel, cosidos en cilindro salían del brazo y del vientre del operado para unirse a su rostro destrozado por las quemaduras. Su doble inserción permitiría regenerar el revestimiento facial, totalmente destruido.

Mientras sacaban al operado del quirófano, Lafargue se quitó la mascarilla y terminó sus explicaciones.

—En este caso, el plan operatorio estaba condicionado por la jerarquía de las urgencias. Como es lógico, este tipo de intervenciones tendrá que ser repetido varias veces antes de obtener un resultado satisfactorio.

Dio las gracias al público por su atención y salió del quirófano. Eran más de las doce. Lafargue se dirigió a un restaurante cercano; en el camino encontró una perfumería. Entró para comprar un frasco de perfume que pensaba regalarle a Eva aquella misma tarde.

Después de comer, Roger lo llevó hasta Boulogne. La consulta empezaba a las dos. Lafargue pasó consulta a sus pacientes rápidamente: una joven madre de familia acompañando a su hijo con labio leporino, un montón de narices —el lunes era el día de las narices: narices rotas, narices prominentes, narices desviadas... Lafargue palpaba la cara por un lado y otro de las aletas nasales, mostraba fotos «antes-después». La mayoría eran mujeres, pero también venían algunos hombres.

Cuando terminó con las visitas trabajó solo, consultando las últimas revistas americanas. Roger fue a buscarlo a las seis.

De regreso en Vésinet, llamó a la puerta de Eva y abrió los cerrojos. Ella estaba sentada al piano, desnuda, tocando una sonata, y no parecía haberse dado cuenta de la presencia de Richard. Estaba de espaldas a él sentada en el taburete. Mechones de su negro cabello rizado revoloteaban sobre sus hombros, balanceaba la cabeza mientras tocaba el teclado. El admiró su espalda fuerte y musculosa, la curva de sus riñones, los muslos... De repente interrumpió la sonata, ligera y pegadiza, para ponerse a tocar los primeros compases de aquella música que odiaba Richard. Tarareó con voz ronca, forzando los graves. Su canción emanaba una sensualidad densa y fascinante. *Some day, he'll come along, The Man I love...* Tocó un acorde desafinado, interrumpió la melodía e hizo girar el taburete con un movimiento de caderas. Estaba sentada frente a Richard, con los muslos separados, las manos sobre las rodillas en una actitud de obsceno desafío.

No pudo, durante unos minutos, despegar los ojos del vello oscuro que escondía su pubis. Ella frunció las cejas y, lentamente, separó aún más las piernas, introduciendo un dedo en su sexo, separándose los labios y gimiendo.

—¡Basta! —gritó.

Le tendió con torpeza el frasco de perfume que había comprado por la mañana. Ella lo miró de arriba a abajo irónicamente. Dejó el paquete encima del piano y le tendió una bata ordenándole que se tapara.

Ella se levantó de un salto y, toda sonrisas, fue a arrimarse a él, después de haber tirado la bata. Le pasó los brazos por el cuello y frotó su pecho contra el cuerpo de Richard. El tuvo que retorcerle las muñecas para soltarse.

—¡Prepárese! —ordenó—. El día ha sido magnífico. Vamos a salir.

—¿Me visto de puta?

Saltó sobre ella y con la mano le apretó el cuello, manteniéndola a distancia. Repitió la orden. El dolor la ahogaba de tal modo que tuvo que soltarla.

—Perdóneme —farfulló—. Se lo ruego, vístase.

Bajó a la planta baja, ansioso. Decidió serenarse mirando el correo. Odiaba tener que atender los detalles materiales de la administración de la casa, pero desde que Eva había venido había tenido que despedir a la persona que antes se encargaba de aquellos pequeños trabajos de secretaría.

Calculó las horas extra que le debía a Roger, los próximos permisos pagados de Lina, se equivocó en el cálculo de las horas, tuvo que volver a empezar. Todavía estaba con el papeleo cuando Eva apareció en el salón.

Estaba resplandeciente, con un vestido escotado de lamé negro y un collar de perlas embelleciendo su garganta. Al inclinarse hacia él pudo reconocer en su pálida piel el aroma del perfume que acababa de regalarle.

Ella le sonrió y lo cogió del brazo. Condujo él el Mercedes y sólo tardaron unos minutos en llegar al bosque de Saint-Germain, lleno de paseantes atraídos por el frescor del atardecer.

Ella caminaba a su lado, apoyada en su hombro. No hablaron al principio, luego él le contó la operación de la mañana.

—Me importa un carajo... —canturreó.

Se calló, un poco ofendido. Ella le había cogido la mano y lo miraba con gesto divertido. Quiso que se sentaran en un banco.

—¿Richard?

El estaba como ausente y tuvo que llamarlo de nuevo. Se acercó a ella.

—Me gustaría ver el mar... Hace ya tanto tiempo... Me encantaba nadar, ya lo sabes. Un día, sólo uno, ver el mar. Haré todo lo que digas, ahora mismo...

El se encogió de hombros y explicó que el problema no era ése.

—Te prometo que no me escaparé...

—¡Cállese, sus promesas no valen nada! ¡Además, ya hace lo que yo digo!

Hizo un gesto de impaciencia con la mano. Caminaron un

poco más hasta el borde del agua. Unos jóvenes hacían *surfing* en el Sena.

Ella dijo de pronto: «tengo hambre», y esperó la respuesta de Richard, que le propuso ir a cenar a un restaurante cercano.

Se instalaron en un cenador y un camarero fue a tomar nota. Ella comió con apetito; él casi no probó bocado. Ella se impacientó tratando de pelar una cola de langosta y ante la dificultad de conseguirlo hizo muecas infantiles. El no pudo evitar reírse. Ella también rió y los rasgos de Richard se helaron. «¡Dios mío —pensó—, en algunos momentos casi parece feliz! ¡Es increíble, injusto!»

Ella se había dado cuenta del cambio de actitud de Lafargue y decidió explotar la situación. Le hizo un gesto para que se inclinara hacia ella y le susurró al oído:

—Richard, escucha, el camarero aquel no me quita ojo desde que empezamos a comer. Puedo arreglarlo para más tarde...

—¡Cállese!

—Sí, voy al lavabo, le doy una cita y dentro de poco me dejo follar detrás de un matorral.

El se había separado y ella seguía susurrando más alto y se reía.

—¿No, no quieres? Si te escondes podrás verlo todo. Ya me arreglaré para acercarme adonde estés. Míralo, se muere de ganas...

El le echó el humo del cigarrillo en plena cara. Pero ella siguió hablando.

—¿No? ¿De verdad? Pues bien que te gustaba al principio, así de prisa y corriendo, remangándome la falda.

«Al principio.» En efecto, Richard llevaba a Eva a los bosques —de Vincennes o Boulogne— y la obligaba a que se entregara a los habituales de la noche mientras observaba sus humillaciones escondido en un matorral. Luego, por miedo a una redada de la policía que hubiera resultado catastrófica, había alquilado el estudio de la calle Godot de Mauroy. Desde entonces prostituía a Eva regularmente, dos o tres veces al mes. Con eso le bastaba para aplacar su odio.

—Hoy —dijo— parece usted decidida a ser insoportable... Casi me da pena...

—¡No te creo!

«Me está provocando», pensó. «Quiere hacerme creer que se ha instalado confortablemente en el fango en el que la obligo a vivir, quiere hacerme creer que le gusta envilecerse...»

Ella seguía con su juego, atreviéndose incluso a hacerle un elocuente guiño al camarero que se ruborizó hasta las orejas.

—¡Venga, nos vamos! ¡Se acabó! Si tanto interés tiene en «darme gusto» iremos mañana por la tarde a recoger sus citas, o quizás le pida que haga un poco la calle...

Eva sonrió y lo cogió de la mano para no perder los estribos; él sabía de sobra lo penosos que le resultaban todos esos abrazos mercenarios y lo que sufría cada vez que la obligaba a venderse; él veía a través del espejo sin azogue del estudio la expresión de dolor reprimido en su cara. Y entonces disfrutaba con ese sufrimiento que era su único consuelo...

Volvieron a la casa de Vésinet. Ella corrió por el parque, se desvistió rápidamente y se tiró a la piscina dando gritos de alegría. Retozó en el agua, desapareciendo de la superficie en rápidas zambullidas.

Cuando salió del agua, él la cubrió con una gran toalla y la friccionó vigorosamente. Ella se dejaba hacer mirando las estrellas. Luego la acompañó hasta su apartamento, donde, como cada noche, se tumbó en la estera. El preparó la pipa, las bolas de opio, y le tendió la droga.

—Richard —murmuró—, eres lo más cabrón que conozco...

El se quedó hasta que ella terminó su dosis cotidiana. No tenía que forzarla, hacía tiempo que no podía prescindir de ello...

Después de la sed vino el hambre. Al resecamiento de la garganta, a esas piedras con picos afilados que te desgarraban la boca, se añadieron dolores profundos, difusos, de vientre, manos que te atenazaban el estómago, llenándolo de ardores y de calambres...

Desde hacía días —sí, para encontrarte tan mal tenía que haber transcurrido mucho tiempo—, desde hacía días te pudrías en aquel agujero. ¿Un agujero? No..., ahora te parecía que la habitación en la que estabas era bastante grande, aunque no pudieras afirmarlo con seguridad. El eco de tus gritos en la pa-

red, tus ojos acostumbrados a la oscuridad te permitían casi «ver» los límites de tu prisión.

Delirabas constantemente en el transcurso de interminables horas. Tirado en el jergón ya no te levantabas. Por momentos te cabreabas con las cadenas, mordías el metal con gruñidos de animal salvaje.

Un día habías visto una película, un documental sobre caza. Unas imágenes lastimeras de un zorro que tenía la pata atrapada en una trampa y que se había mordido la carne, arrancándola a jirones, hasta que aflojó la opresión de la trampa. Entonces el animal, mutilado, pudo huir.

Tú no podías morderte las muñecas o los tobillos. Y, sin embargo, estaban ensangrentados por culpa del incesante roce de la piel contra el metal. Estaban calientes e hinchados. Si hubieras podido pensar habrías temido la gangrena, la infección, la podredumbre que te iba a invadir subiendo desde tus miembros.

Pero sólo soñabas con agua: de torrentes, de lluvia, de lo que fuera con tal de que se pudiera beber. Orinabas con mucha dificultad; los dolores de riñones en cada micción se hacían cada vez más fuertes. Un largo ardor que te bajaba por el sexo dejaba salir algunas gotas calientes. Te revolcabas en tus excrementos secos, que formaban una costra sobre tu piel.

Tu sueño, curiosamente, era tranquilo. Dormías pesadamente, agotado de cansancio, pero el despertar era atroz: lleno de alucinaciones. Monstruosas criaturas te acechaban en la oscuridad listas para saltar sobre ti y morderte. Te parecía oír ruidos de garras arañando el cemento; ratas esperando en la oscuridad, espiándote con sus ojos amarillos.

Llamabas a Alex y ese grito se quedaba en un gemido. Si hubiera estado allí habría arrancado las cadenas, habría sabido qué hacer, habría encontrado una solución, una treta de aldeano. ¡Alex! Te estaría buscando desde que desapareciste. ¿Desde cuándo? ¿CUANDO?

Y vino El. Un día o una noche, imposible saberlo. Una puerta, allá al fondo, delante de ti, se abrió. Un rectángulo luminoso que te cegó.

La puerta se volvió a cerrar, pero El había entrado. Su presencia llenaba el espacio de la prisión.

Contenías la respiración, acechando cualquier ruido, acurrucado contra la pared, enloquecido como una cucaracha sorprendida a plena luz. No eras más que un insecto prisionero de una araña ahíta que te tenía en reserva para un futuro festín. Te había capturado para saborearte con toda tranquilidad cuando le apeteciera probar tu sangre. Imaginabas sus patas peludas, sus grandes ojos saltones, implacables, su vientre blando, saciado de carne, vibrante, gelatinoso; sus dientes venenosos, su boca negra que iba a chuparte la vida.

Bruscamente un potente proyector te cegó. Ahí estabas, único actor en el escenario de tu próxima muerte, preparado para representar el último acto. Distinguías una silueta sentada en un sofá a tres o cuatro metros de ti. Pero el contraluz del haz del proyector te impedía distinguir los rasgos del monstruo. Había cruzado las piernas, juntado sus manos bajo la barbilla y te contemplaba sin moverse.

Hiciste un esfuerzo sobrehumano para levantarte y de rodillas, rogando con las manos, pediste que te diera de beber... Las palabras se entremezclaban en tu boca. Con los brazos extendidos hacia él, imploraste.

El no se movió. Balbuceaste tu nombre: Vincent Moreau, error, señor, hay un error, soy Vincent Moreau. Y te desmayaste.

Cuando recobraste el sentido había desaparecido. Entonces supiste lo que es la desesperación. El proyector seguía encendido, viste tu cuerpo, los granos en tu piel —llenos de pus—, las estrías de mugre, los arañazos provocados por las cadenas, los pegotes de mierda seca que te colgaban de los muslos, las uñas desmesuradamente largas.

La luz blanca y violenta te hacía llorar. Pasó mucho tiempo antes de que volviera. De nuevo se sentó en el sofá frente a ti. A sus pies había dejado un objeto que reconociste inmediatamente: un cántaro... ¿de agua? Estabas de rodillas, a cuatro patas, la cabeza inclinada hacia abajo. Se acercó, de un golpe vertió el agua del cántaro por tu cabeza. Lamiste el charco del suelo. Te alisaste el pelo con las temblorosas manos para escurrir el agua que lamías de tus palmas.

Fue a buscar otro cántaro que bebiste de golpe, ávidamente. Entonces se abrió camino en tu vientre un dolor violento e hi-

ciste por ti un largo chorro de diarrea líquida. Te miraba. No te volviste contra la pared para esconderte de sus ojos. Agachado a sus pies, te relajaste, feliz por haber bebido. Ya no eras nada, nada más que un animal sediento, hambriento y herido. Un animal que se había llamado Vincent Moreau.

Rió con esa risa infantil que ya habías escuchado en el bosque.

Volvió a menudo para darte de beber. Te parecía inmenso al contraluz del proyector y su sombra invadía la habitación enorme y amenazadora. Pero ya no tenías miedo: si te daba de beber, eso significaba, pensabas, que iba a mantenerte vivo.

Más tarde trajo una escudilla de hojalata conteniendo un caldo rojizo en el que flotaban bolitas de carne. Hundió su mano en la escudilla y te cogió por los pelos para inclinarte la cabeza hacia atrás. Comiste de su mano, chupaste sus dedos pringosos de salsa. Estaba bueno. Te dejó seguir comiendo, tumbado en el suelo, la cara medio hundida en la escudilla. No dejaste nada de lo que el amo acababa de darte.

Los días pasaban y la papilla seguía siendo la misma. Venía a tu cárcel, te daba el cántaro y la escudilla y miraba cómo comías. Luego se iba riéndose.

Poco a poco recuperabas fuerzas. Guardabas un poco de agua para lavarte y hacías tus necesidades en el mismo sitio, a la derecha del hule.

La esperanza había renacido insidiosamente: el amo tenía interés en ti...

Alex se sobresaltó. Un ruido de motor —¿un coche?— turbaba el silencio del monte. Miró el reloj: las siete de la mañana. Bostezó, tenía un sabor amargo en la boca, la lengua pastosa por el alcohol —cerveza y luego ginebra— que había bebido la noche anterior para poder dormir.

Cogió los gemelos y los enfocó hacia la carretera. La familia de turistas holandeses se había amontonado en un *land-rover,* los niños llevaban calderos y palas...

Día playero en perspectiva. La joven madre de familia estaba en bikini y sus pechos grandes tensaban la tela fina del bañador. Alex sufría una erección matutina... ¿Desde hacía cuánto tiempo no había estado con una mujer? Por lo menos seis semanas. Sí, la última fue una chica de la granja. Hacía mucho tiempo.

Se llamaba Annie, una amiga de la infancia. La recordaba con sus trenzas pelirrojas en el patio de la escuela. En otra época de su vida, casi olvidada, la de Alex el memo, el ingenuo. Poco antes de atracar el banco, había hecho una visita a sus padres, siempre tan aldeanos.

Una tarde lluviosa había entrado en el patio de la granja con su Ford de ruidoso motor. Su padre lo esperaba en las escaleras de la casa. Alex estaba orgulloso de su ropa, de sus zapatos, de su aspecto de hombre nuevo desprovisto del incómodo olor de la tierra.

El padre lo miraba con un poco de reprobación. No es un oficio limpio el de hacer de matón en las discotecas. Pero debía dar dinero: ¡vaya buena pinta que tenía el chaval!... Y sus uñas, de manicura, habían dejado pasmado al padre. Lo recibió con una acogedora sonrisa.

Se sentaron frente a frente en la sala. Eran las diez de la mañana. El padre sacó el pan y el salchichón, el paté y el litro de tinto y empezó a comer. Alex se limitó a encender un cigarrillo dejando el vino que le habían servido en un envase de mostaza. La madre los miraba, de pie, en silencio. También estaban Louis y René, los mozos de la granja. ¿De qué podían hablar? ¿Del tiempo que hacía, del tiempo que iba a hacer? Alex se levantó y palmeó afectuosamente la espalda del padre antes de salir a la calle principal del pueblo. En las ventanas de las casas los visillos se movían furtivamente: discretamente miraban pasar al hijo de Barny, ese granuja...

Alex entró en el café Sport y para marcarse un tanto con el personal invitó a una ronda. Algunos viejos jugaban a las cartas dando puñetazos en la mesa para apoyar su juego y dos o tres chavales medían sus fuerzas con la máquina de petacos. Alex estaba orgulloso de su éxito. Estrechó manos y bebió un trago a la salud de todos.

En la calle se cruzó con la señora Moreau, la madre de Vincent. Antes era una guapa mujer, alta, esbelta, elegante. Pero desde la desaparición de su hijo se había apagado, bruscamente envejecido, y se vestía con ordinariez. Cargada de hombros, arrastrando los pies, iba a hacer la compra al economato.

Todas las semanas iba religiosamente a la comisaría de Meaux para preguntar cómo iba la investigación acerca de su hijo. Había perdido las esperanzas, ya hacía cuatro años... Había enviado avisos con la foto de Vincent a innumerables periódicos sin resultado alguno. La policía le había dicho: «Cada año hay miles de desapariciones en Francia y con mucha frecuencia no se llega a saber nada.» La moto de Vincent estaba en el garaje, la policía se la había devuelto después de haberla examinado. Las huellas eran las de Vincent. Encontraron la máquina tirada en una cuneta, la rueda delantera torcida, sin gasolina... En el bosque no habían encontrado ninguna pista...

Alex había pasado la noche en el pueblo. Por la tarde había baile, era sábado. Annie estaba allí, tan pelirroja como siempre, un poco gorda; trabajaba en la fábrica de conservas del pueblo de al lado... Alex había bailado un *slow* con ella antes de llevarla al bosque cercano. Hicieron el amor en el coche, tumbados incómodamente en los asientos abatibles.

Al día siguiente Alex se fue después de haberles dado un abrazo a los viejos. Ocho días más tarde atacaba la sucursal del Crédito Agrícola y mataba al poli. En el pueblo todo el mundo debía tener guardada la página del periódico con la foto de Alex en primera plana y la del poli en familia.

Alex deshizo el vendaje; la cicatriz estaba caliente y los bordes de la herida muy rojos. Echó sobre el muslo los polvos que le había dado su compañero y rehizo el vendaje apretando bien la gasa que acababa de cambiar.

Seguía con la polla dura, casi dolorosamente. Se masturbó con rabia pensando en Annie. Nunca había tenido muchas chicas. Tenía que pagar por ellas. Cuando todavía estaba Vincent las cosas eran mucho mejores. Vincent ligaba nenas en cantidad, A menudo iban al baile los dos. Vincent bailaba, sacaba a todas las chicas de los alrededores. Alex se quedaba en la barra y bebía cerveza mirando cómo actuaba Vincent. Vincent sonreía a las chicas con aquella sonrisa suya... Habrían vendido su alma al diablo por él. Movía la cabeza amable, seductor, y sus manos acariciadoras recorrían la espalda, de las caderas a los hombros. Las llevaba al bar para presentárselas a Alex.

Cuando todo iba bien, Alex pasaba después de Vincent, pero no siempre iba bien. Algunas se hacían las remilgadas, no les gustaba Alex, tan fuerte, peludo como un oso, grande, macizo... No, preferían a Vincent, delgado y lampiño, frágil. ¡Vincent y su linda jeta!

Alex seguía masturbándose perdido en los recuerdos. Su memoria, vacilante y laboriosa, le hacía ver en rápido desfile todas las chicas que habían compartido. Y Vincent, pensaba, ese cabrón de Vincent me ha abandonado. ¡A lo mejor está en América tirándose a las artistas de cine!

Una foto de una mujer desnuda —un grabado de calendario— adornaba la pared encalada al lado de la cama. Alex cerró los ojos y el semen corrió por su mano, caliente y cremoso. Se secó con una gasa y bajó a la cocina para prepararse un café cargado. Mientras calentaba el agua puso la cabeza debajo del grifo del fregadero apartando las pilas de platos que lo llenaban.

Bebió lentamente la taza humeante, mordisqueando un resto de bocadillo. Fuera, el calor de medio día era sofocante. Alex enchufó la radio, R. T. L., para escuchar los concursos, *La Maleta,* presentado por Drucker. Le importaba un carajo la maleta, pero era divertido escuchar a aquellos imbéciles que no sabían contestar y perdían el prometido y ansiado dinero...

Le importaba un carajo porque él no había perdido dinero. En su maleta —no era una maleta sino una bolsa— tenía cincuenta millones. Una fortuna. Había contado y vuelto a contar los fajos, los billetes nuevos, crujientes. En el diccionario había mirado quiénes eran aquellos cuya cara estaba dibujada en el billete. Voltaire, Richelieu, Pasteur, Berlioz; era extraño que saliera la foto de uno en un billete: algo así como convertirse en dinero.

Se tumbó en el canapé y siguió con su juego: un *puzzle* de más de dos mil piezas. Un castillo de Touraine, Langeais. Dentro de poco lo acabaría. En el desván había encontrado el primer día varias cajas de maquetas Heller. Con cola, pintura y calcomanías había fabricado los Stukas, los Spitfire, y también un coche: un Hispano Suiza 1935. Ahí estaban en el suelo, sobre su soporte de plástico, cuidadosamente pintados. Luego, como ya no le quedaban maquetas, Alex había construido la granja de sus padres: los dos edificios, los anexos, la verja..., las cerillas pegadas unas a otras formaban una réplica torpe, ingenua y conmovedora. Sólo faltaba el tractor. Alex lo recortó de un trozo de cartón. Luego, revolviendo más a fondo en el desván, había encontrado el *puzzle.*

El caserío en el que se escondía pertenecía a uno de los amigos que había conocido en la discoteca donde trabajaba de matón. Podía estar varias semanas sin temer ninguna visita intempestiva de algún vecino curioso. El amigo también le había proporcionado un carnet de identidad, pero la cara de Alex, ya famosa, debía de estar colgada en todas las comisarías del país con una mención especial. A la bofia no le gusta que maten a uno de los suyos.

Las piezas del *puzzle* se negaban tercamente a ajustarse unas a otras. Era un trozo de cielo, completamente azul, muy difícil de hacer. Las torres del castillo, el puente levadizo, todo eso era fácil, pero ¿el cielo? Vacío y sereno, engañoso... Alex se crispó, mezclando torpemente las piezas, volviendo a empezar su tarea antes de destruirla.

Por el suelo, muy cerca del panel de madera en el que había instalado el juego, paseaba una araña. Una araña peluda, repugnante. Escogió un saliente de la pared y empezó a tejer su tela. El hilo salía regularmente de su rechoncho abdomen. Iba y venía, atenta y trabajadora. Con una cerilla Alex quemó el trozo de tela que acababa de construir. La araña se asustó, observó los alrededores vigilando la llegada de un eventual enemigo; luego, como el concepto de cerilla no constaba en su dotación genética, reemprendió su trabajo.

Tejía infatigable, anudando el hilo, amarrándolo a las asperezas de la pared, aprovechando cada astilla de madera. Alex recogió del suelo un cadáver de mosquito y lo tiró a la tela recién hecha. La araña se precipitó, dio vueltas alrededor del intruso, pero lo despreció. Alex comprendió la causa de esta indiferencia: el mosquito estaba muerto. Cojeando, salió a las escaleras y capturó con delicadeza una mariposa nocturna que estaba escondida bajo una teja. La tiró a la tela.

La mariposa se debatió prisionera en la tela.

La araña apareció sin tardanza y con sus gruesas patas rodeó a su presa antes de tejer un capullo que encerrara al insecto para guardarlo en un hueco de la pared en previsión de un futuro festín.

Eva estaba sentada ante el tocador y contemplaba su rostro en el espejo. Un rostro infantil, de grandes y tristes ojos almendrados. Con el índice acarició la piel de su barbilla; percibió la dureza del hueso, la punta del mentón, el relieve de los dientes a través de la masa carnosa de los labios. Tenía los pómulos marcados y una nariz de curvas perfectas, delicadamente modelada.

Giró ligeramente la cabeza, inclinó el espejo y se asombró de aquella expresión extraña que le suscitaba su imagen. Un exceso de perfección, una sensación desagradable creada por rasgos tan llamativos. No había conocido a ningún hombre que resistiera su atractivo, ninguno que permaneciera indiferente ante ella. No, ningún hombre era capaz de desvelar su misterio: ese aura indescriptible que acompañaba cada uno de sus gestos, envolviéndolos con una nube de incertidumbre embrujadora. A todos los seducía, captando su atención, despertando sus deseos, disfrutando de su turbación cuando estaban en su presencia.

La evidencia de su poder de seducción le proporcionaba una ambivalente tranquilidad: habría querido rechazarlos, hacerles huir, separarlos de ella y, sin embargo, la fascinación que provocaba sin quererlo era su única venganza; insignificante en su infalibilidad.

Se maquilló y luego sacó el caballete del estuche, extendió los colores, los pinceles, y se puso a trabajar en el lienzo que estaba pintando. Era un retrato basto y grosero de Richard. Lo había pintado sentado en un taburete de bar, abierto de piernas, travestido de mujer, con una boquilla entre los labios, ataviado con un vestido rosa, ligueros y medias negras; zapatos de tacón alto oprimían sus pies...

Sonreía estúpidamente, con cara de tonto. Los senos, falsos y ridículos, hechos de trapos, colgaban lamentablemente sobre su fofo vientre. La cara, pintada con una precisión maníaca, estaba cubierta de viruela... Viendo este lienzo se podía uno imaginar la voz de aquel personaje grotesco y digno de lástima: una voz cascada, tomada, una voz de verdulera agotada...

No, tu amo no te había matado, pero lo lamentaste. Ahora te trataba mejor. Venía a ducharte con una manguera, te rociaba con agua tibia, incluso te permitía usar un trozo de jabón.

El proyector estaba siempre encendido. Habías pasado de la noche al día cegador, artificial, frío, interminable.

Durante largas horas, el amo venía a verte, se sentaba en el sofá frente a ti y escrutaba hasta el más mínimo de tus gestos.

Cuando empezaron aquellas «sesiones de observación» no decías nada por miedo a despertar sus iras, por miedo a que la noche, el hambre, la sed volvieran de nuevo a castigarte por aquella falta que seguías ignorando y que debías —parecía ser— purgar.

Luego, te envalentonaste. Tímidamente preguntaste qué fecha era para poder saber cuánto tiempo llevabas allí encerrado. Te respondió inmediatamente, sonriendo: 23 de octubre... Te tenía prisionero desde hacía más de dos meses. Dos meses pasando hambre y sed y ¿cuánto tiempo comiendo en su mano, lamiendo la escudilla a sus pies, dejándote duchar con la manguera?

Lloraste, preguntaste por qué te hacía todo eso. Entonces permaneció mudo. Veías su impenetrable rostro coronado por blancos cabellos, un rostro que emanaba una cierta nobleza, un rostro que, quizá, habías visto en alguna parte...

Venía a tu prisión y se quedaba allí, sentado, impasible. Desaparecía y volvía más tarde. Las pesadillas del principio ya no te atormentaban. Es posible que disolviera calmantes en la papilla. Naturalmente, la angustia permanecía, pero se había desplazado: estabas seguro de que seguirías con vida, si no, pensabas, ya te habría matado... Su objetivo no era dejarte agonizar, debilitado y apergaminado hasta morir. Era otro.

Poco tiempo después, el ritual de las comidas también fue modificado. El amo ponía ante ti una mesa plegable y una banqueta y te daba un tenedor y un cuchillo de plástico como los que dan en los aviones. Un plato sustituyó a la escudilla. Y pronto tuviste comidas de verdad: frutas, verduras, quesos. Sentías un placer inmenso al comer, recordando los primeros días...

Seguías encadenado, pero el amo curaba las irritaciones provocadas por el roce del metal en tus muñecas. Te echaba una pomada en las heridas antes de ponerte una venda elástica en la mano, bajo la argolla de hierro.

Las cosas iban mejor, pero no decía nada. Tú le contabas tu vida. Escuchaba muy interesado. No podías soportar su silencio. Tenías que hablar, repetir las historias, las anécdotas de tu infancia, atontarte con palabras para demostrarte, demostrarle, que no eras un animal.

Al poco tiempo, tu régimen alimenticio cambió de repente. Te daba vino, manjares refinados que debía hacer traer de un restaurante. La vajilla era de lujo. Encadenado a la pared, desnudo en la banqueta, te atiborrabas de caviar, de salmón, de sorbetes y pasteles.

Se sentaba a tu lado, te servía. Trajo un magnetofón y escuchábais a Chopin, a Liszt.

En cuanto al humillante capítulo de tus necesidades, también se mostraba más humano. Había puesto a tu disposición, al alcance de tu mano, un cubo higiénico.

Por fin, un día, te soltó durante unas horas. Te quitaba las amarras y te paseaba por el sótano llevándote de la cadena. Caminabas en círculos, lentamente, alrededor del proyector.

Para matar el tiempo, el amo trajo libros. Clásicos: Balzac, Stendhal... En el instituto no los podías ni ver, pero ahora, solo en tu agujero, devoraste aquellas obras, sentado en el jergón de hule o apoyado en la mesa plegable.

Poco a poco tus ocupaciones se consolidaban. El amo procuraba variar las distracciones. Un tocadiscos, un juego de ajedrez electrónico... El tiempo llegó a transcurrir deprisa. Había regulado la intensidad del proyector para que la luz no te cegara. Un trozo de tela tamizaba el foco y el sótano se llenaba de sombras: la tuya multiplicada...

Con todos estos cambios, la ausencia de brutalidad por parte del amo, aquel lujo que poco a poco aliviaba tu soledad, habías olvidado —o al menos apartado— el miedo. Tu desnudez, las cadenas que te ataban parecían algo incongruente.

Los paseos con cadena continuaban. Eras un animal cultivado, inteligente. Tenías lagunas en la memoria, en algunos momentos te dabas cuenta críticamente de la falta de realidad de tu situación, de su lado absurdo. Sí, te morías de ganas de interrogar al amo, pero no daba pie a tus preguntas, limitándose a preocuparse por tu comodidad. ¿Qué querías para cenar? ¿Te gustaba aquel disco...?

¿Qué sería del pueblo, de tu madre? ¿Te estarían buscando? Las caras de tus amigos se difuminaban en tus recuerdos fundiéndose en una densa bruma. No podías acordarte de los rasgos de Alex, del color de su pelo... Hablabas solo, te sorprendías tarareando melodías infantiles, tu pasado lejano te llegaba en oleadas violentas y confusas: imágenes de tu infancia olvidadas durante mucho tiempo surgían de pronto, sorprendentemente nítidas, y se desvanecían de nuevo en una bruma difusa. El tiempo se dilataba, se estrechaba, ya no sabías: ¿un minuto, dos horas, diez años?

El amo se dio cuenta de tu inquietud y para aliviarla te dio un reloj. Contaste las horas, observando maravillado el curso de las agujas. El tiempo era ficticio: ¿eran las diez o las veintidós, martes o domingo? No tenía importancia: podías regularizar tu vida de nuevo, a mediodía tengo hambre, a medianoche sueño. Un ritmo, algo a lo que agarrarse.

Pasaron varias semanas. Entre los regalos del amo encontraste un bloc de papel, lápices, una goma. Dibujaste, torpemente al principio; más tarde recuperaste tu antigua habilidad. Esbozabas retratos sin rostro, bocas, paisajes caóticos, el mar, inmensos acantilados, una mano gigantesca de la que parecían surgir olas. Pegabas a la pared los dibujos para olvidar la desnudez del cemento.

En tu imaginación le habías dado un nombre al amo. No te atrevías a usarlo delante de él, naturalmente. Lo llamabas «Ta-

rántula» en recuerdo de los terrores pasados. Tarántula, un nombre de resonancia femenina, un nombre de animal repugnante que no encajaba con el sexo de él ni con el exquisito refinamiento del que hacía gala en la elección de los regalos...

Pero Tarántula porque es lenta y secreta, cruel y feroz, ávida y de pensamientos inexcrutables, escondida en alguna parte de este lugar en el que te tenía secuestrado desde hacía meses, tela de araña de lujo, trampa dorada de la que él era el carcelero y tú el prisionero.

Habías renunciado a llorar, a lamentarte. Tu nueva vida no tenía nada de penoso desde el punto de vista material. En aquella época del año —¿febrero?, ¿marzo?— habrías tenido que estar en el instituto, último curso, y estabas aquí, cautivo en este agujero de hormigón. La desnudez ya se había convertido en un hábito. El pudor había desaparecido. Sólo las cadenas eran insoportables.

Fue probablemente en mayo —de ser correctas tus cuentas— o quizás un poco antes, cuando se produjo un extraño acontecimiento.

Eran las dos y media en tu reloj. Tarántula bajó a verte. Se sentó en el sofá como de costumbre para observarte. Estabas dibujando. Se levantó y fue hacia ti. Te levantaste y de pie lo miraste a la cara.

Vuestras caras casi se tocaban. Veías sus ojos azules, únicos elementos móviles en un rostro impenetrable, inmóvil. Levantó la mano para ponerla en tu hombro. Con dedos temblorosos subió por tu cuello, palpó tus mejillas, la nariz, pellizcándote suavemente la piel.

El corazón se te salía del pecho. Su mano cálida bajó hasta el pecho; suave y ágilmente recorrió tus costillas, tu vientre. Palpaba tus músculos, tu piel lisa y lampiña. Te equivocaste sobre el significado de sus gestos. Torpemente intentaste una caricia, tú también, en su cara. Te abofeteó con violencia apretando los dientes. Te mandó que te volvieras y continuó su observación metódicamente durante varios minutos.

Cuando terminó, te sentaste tocándote la mejilla todavía dolorida por el golpe que te había dado. Movió la cabeza riéndose y te pasó la mano por el pelo. Tú sonreíste.

Salió. No sabías qué pensar de aquel nuevo contacto, verdadera revolución en vuestras relaciones. Pero este esfuerzo mental era angustioso y habría exigido un gasto de energía de la que no disponías desde hacía tiempo.

Volviste a dibujar sin pensar en nada.

2

Alex había abandonado su *puzzle*. Había salido al jardín y tallaba un trozo de madera, una raíz de olivo. El cuchillo horadaba la masa seca, configurando poco a poco, corte a corte, una forma torpe pero cada vez más precisa, un «cuerpo de mujer». Cubierto por un gran sombrero de paja para protegerse del sol y con una cerveza en la mano, Alex olvidaba su herida, absorbido por el minucioso trabajo y, por vez primera en mucho tiempo, estaba relajado.

El irritante timbre del teléfono lo sobresaltó. Estuvo a punto de cortarse con la punta de su Opinel, dejó caer el tronco de olivo y escuchó, pasmado. El timbre seguía sonando. Incrédulo, Alex corrió hasta el caserío y se plantó delante del teléfono con los brazos colgando. ¿Quién podía saber que estaba allí?

Cogió su revólver, el colt que había quitado al cadáver del poli después de habérselo cargado. El arma era más sofisticada que la que tenía antes... Temblando, descolgó. A lo mejor era un comerciante del pueblo o correos, algo anodino o mejor aún: que se habían equivocado de número. Conocía la voz: la del ex legionario en cuya casa se había refugiado después del desastroso asalto a la sucursal del Crédito Agrícola. A cambio de una considerable suma, el tipo se las había arreglado para cuidar a Alex. No había tenido que extraer la bala que había salido por sí sola por la parte de atrás del muslo después de haber atravesado el cuádriceps; le había dado antibióticos y vendas y le había suturado la herida de cualquier manera: Alex las pasó putas, pero el legionario le había jurado que su experiencia militar anterior le permitía dispensar servicios de médico. Además, a Alex, fichado por la policía, no le quedaba más remedio que pasar por lo que fuera con tal de salir bien librado; ni pensar en una consulta en debida forma en un servicio hospitalario...

La conversación fue breve, entrecortada: el dueño del caserío estaba enredado en una oscura historia de prostitución y era de temer una investigación en toda regla en las próximas horas. Alex tenía que largarse lo antes posible...

Asintió balbuciendo las gracias. Su interlocutor colgó sin demorarse en cortesías supérfluas. Alex giró en redondo con el colt en la mano. Sollozaba de rabia. Todo empezaba de nuevo... La huida, la batida, el miedo a que lo atraparan, los pelos de punta en cuanto veía un kepi...

Guardó sus cosas a toda prisa, cambiando el dinero a una maleta. Se vistió con un traje que encontró en un armario. Le quedaba un poco grande, pero ¿qué importaba? El vendaje del muslo formaba un bulto bajo el tejido. Se afeitó y guardó una bolsa en el maletero del coche con alguna ropa limpia y las cosas de aseo. Los datos del coche no debían constar todavía en las fichas de la poli. Era un CX que el legionario había alquilado por un mes, asegurándole que todo estaba en orden.

Guardó el colt en la guantera y arrancó dejando abierta de par en par la verja que rodeaba el caserío. En la carretera se cruzó con la familia holandesa que volvía de la playa.

Las carreteras principales bullían de coches de turistas y los policías, escondidos detrás de cualquier matorral, acechaban a los eventuales infractores.

Alex sudaba la gota gorda. Sus papeles falsos no pasarían un control por poco riguroso que fuera, ya que su foto constaba en los ficheros de búsqueda.

Tenía que subir a París lo antes posible. Allí le sería más fácil encontrar otro escondite mientras se calmaban los malos humores de la poli y su herida acababa de cicatrizar. Luego tendría que buscar el medio de salir del país sin que lo atraparan en la frontera. ¿Para ir adónde? Alex no lo sabía... Se acordaba de conversaciones furtivamente escuchadas cuando se encontraba con sus «amigos»; América Latina parece que es un lugar seguro. Pero no podía fiarse. Su fortuna, apilada en la maleta, podía tentar a mucha gente: debilitado, herido, atemorizado, metido en una aventura que sobrepasaba sus posibilidades, se daba cuenta de que el porvenir muy probablemente no sería color de rosa.

La simple idea de la cárcel lo aterrorizaba, incluso la de un juicio. El día que Vincent lo había llevado al Palacio de Justicia de París para presenciar un proceso criminal le había dejado un recuerdo angustioso que lo perseguía incansablemente: el acusado se había levantado de su asiento cuando pronunciaron el veredicto y había lanzado un largo grito angustioso cuando escuchó la pena. Alex volvía a ver aquel rostro en sus pesadillas, un rostro contraído por el dolor y la incredulidad. Se juró reservarse una bala por si lo llegaban a atrapar.

Llegó a París por carreteras comarcales, evitando las autopistas y las carreteras nacionales, sin duda vigiladas por la policía de tráfico en esta época de vacaciones.

Sólo tenía un punto de referencia: el ex legionario —ahora gestor de una empresa de vigilancia privada— que ya lo había ayudado en su huida desesperada después de lo del banco. Alex no se hacía ilusiones con respecto al desinterés de su salvador: codiciaba el dinero, pero no tenía demasiada prisa por recuperarlo. Si las cosas de Alex se arreglaban, si los billetes eran negociables, todo era posible...

Sabía a ciencia cierta que Alex estaba a su merced, tanto para los cuidados de la herida como para su huida al extranjero. Desorientado en su nueva vida, Alex no iba a atravesar la frontera para lanzarse a ciegas en las garras de la Interpol, cuya existencia conocía...

No estaba en contacto con ninguna banda internacional que le pudiera ofrecer las suficientes garantías de seguridad. Y ya veía venir el momento en el que su protector le diría cuál era el precio de una desaparición limpia, un pasaporte aceptable y un destino tranquilo y discreto: un fuerte porcentaje del botín del atraco a mano armada.

Alex sentía un odio sin límites contra toda aquella gente que llevaba con gracia ropa de buena calidad, elegante, que sabía hablar a las mujeres: él seguía siendo un aldeano, un memo al que se podía manipular.

Fue a parar a un pequeño pabellón de las afueras, en Livry-Gargan, una de las zonas residenciales del Sena-Saint-Denis. Después de haberlo dejado instalado, el legionario le mandó que no se moviera y, como en el caserío, Alex encontró un congelador lleno hasta los topes, una cama, un televisor.

Se instaló lo más cómodamente posible en una sola habitación. Los pabellones vecinos estaban desocupados —en espera de ser alquilados— o habitados por empleados de banca de vida ordenada que se levantaban pronto por la mañana y no llegaban hasta el atardecer. Además, el período estival había dejado desierto el barrio desde primeros del mes de agosto. Alex se acomodó, tranquilizado por el vacío que lo rodeaba. El legionario insistió en que permaneciera encerrado. El se iba una semana al extranjero. No vería a su protegido hasta la vuelta. Que Alex estuviera tranquilo hasta septiembre. Televisión, preparación de comidas congeladas, siestas y solitarios, ésas serían sus únicas ocupaciones...

3

Richard Lafargue recibía al representante de una firma japonesa que había sacado al mercado un nuevo tipo de silicona utilizada en cirugía plástica para las prótesis de mama. Escuchaba atentamente al tipo que le hacía el artículo, según decía más fácil de inyectar, más manejable... El despacho de Lafargue estaba lleno de historiales de intervenciones quirúrgicas, las paredes «adornadas» con fotos de éxitos de operaciones de plástico... El japonés no paraba de moverse mientras hablaba. Había llevado un proyector de diapositivas con una pantalla impresionante y salpicaba su discurso con ejemplos fotográficos.

Llamaron a Richard por teléfono. Su rostro se ensombreció, su voz se puso opaca, temblorosa. Dio las gracias a su interlocutor por su llamada y después pidió disculpas al representante por tener que dejarlo. Fijaron una nueva cita para el día siguiente.

Lafargue se quitó la bata y corrió hasta el coche. Roger lo esperaba pero lo mandó a casa, porque prefería conducir él.

Rápidamente se dirigió hacia el periférico y tomó el ramal de autopista dirección Normandía. Volaba, tocando la bocina rabiosamente cuando un coche no se metía con suficiente rapidez en el carril de la derecha y él quería adelantar. En menos de tres horas llegó al centro psiquiátrico donde estaba Viviane.

Cuando llegó al castillo saltó del Mercedes y subió rápidamente las escaleras que llevaban a recepción. La enfermera de cofia blanca lo recibió sin tardanza y fue a buscar al psiquiatra que llevaba el caso de Viviane.

En su compañía Richard subió en el ascensor y llegó a la puerta de la habitación. El psiquiatra le hizo un gesto indicándole la mirilla de plástico.

Viviane estaba en una crisis. Había desgarrado la bata y pataleaba chillando, arañándose el cuerpo ya marcado por arañazos ensangrentados.

—¿Desde cuándo? —farfulló Richard.

—Desde esta mañana... Le hemos puesto una inyección de calmante que no debería tardar en hacer efecto.

—No..., no hay que dejarla así. Doble la dosis. Pobre niña...

Sus manos temblaban convulsivamente. Apoyó la frente en la puerta de la habitación, mordiéndose el labio superior.

—Viviane..., pequeña... Viviane... Abra, voy a entrar.

—No es recomendable; ver gente la excita más.

Agotada, jadeando, acurrucada en un rincón de la habitación, Viviane se arañaba la cara con las uñas que, a pesar de llevarlas cortas, hacían saltar la sangre. Richard entró, fue a sentarse en la cama y casi en un susurro llamó a Viviane. Ella se puso a chillar de nuevo, pero no se movió. Estaba sin aliento y sus ojos de loca se movían en todas direcciones, retraía los labios, silbaba entre dientes. Poco a poco se calmó, permaneciendo consciente. Su respiración se hizo más regular, menos entrecortada. Lafargue pudo cogerla en sus brazos para acostarla. Sentado al lado de ella le cogía la mano, le acariciaba la frente, le besaba las mejillas. El psiquiatra se mantenía en la puerta de la habitación con las manos en los bolsillos de la bata. Se acercó a Richard y lo cogió del brazo.

—Venga... —dijo—, hay que dejarla sola.

Bajaron y juntos dieron un paseo por el parque.

—Es terrible... —balbució Lafargue.

—Sí... No debería venir usted tan a menudo, no sirve para nada y usted sufre.

—¡No! Es preciso que..., tengo que venir.

El psiquiatra sacudió la cabeza, no comprendía el empeño de Richard en asistir a aquel lamentable espectáculo.

—Sí... —insistía Richard—. ¡Vendré! ¡Siempre! Avíseme, ¿comprende?

Se le había quebrado la voz, estaba llorando. Estrechó la mano del médico y se dirigió al coche. Cuando salía del castillo, el psiquiatra lo observaba, asombrado ante una obstinación tan demencial.

Richard condujo aún más deprisa de vuelta a la villa de Vésinet. La imagen de Viviane le obsesionaba. Una imagen de cuerpo herido y mancillado: una pesadilla real que le torturaba la memoria... ¡Viviane! Todo había empezado por un largo grito que tapó la música de la orquesta y Viviane había aparecido con las ropas desgarradas, los muslos chorreando sangre, la mirada extraviada...

Lina tenía el día libre. Arriba, en el primer piso, se oía el piano. Se rió, acercó la boca al interfono y chilló a grito pelado:

—¡Buenas tardes, zorra! ¡Prepárate, vas a entretenerme!

Los altavoces empotrados en las paredes del gabinete vibraron con fuerza. Había puesto el volumen al máximo. El ruido era insoportable. Eva hipó de sorpresa. Aquella maldita sonorización era la única perversión de Lafargue a la que no se había podido acostumbrar.

La encontró desplomada sobre el piano, apretándose con las manos los oídos todavía doloridos. El estaba en el umbral de la puerta, con una sonrisa deslumbradora y un vaso de *whisky* en la mano.

Horrorizada, se volvió hacia él. Conocía el significado de esas crisis que lo inducían a comportarse así: en un año Viviane había tenido tres accesos de agitación y de automutilación. Richard, herido en lo más hondo, no podía soportarlo. Tenía que aplacar su sufrimiento. Eva sólo servía para cumplir esa misión, víctima de su inventiva crueldad.

—¡Venga, vamos, basura!

Le tendió el vaso de *whisky,* y ante su resistencia a cogerlo la agarró de los cabellos para torcerle la cabeza hacia atrás. Tuvo que beberse el vaso de un trago. La cogió por la mano, la arrastró hasta la planta baja y la lanzó al interior del vehículo.

Eran las ocho cuando entraron en el estudio de la calle Godot de Mauroy. La tiró en la cama de una patada en los riñones.

—¡Desvístete! ¡Deprisa!

Eva se desnudó. El había abierto el armario y sacaba la ropa tirándola de cualquier manera en la moqueta. Ella lloraba suavemente, de pie, frente a él. Le tendió la falda de cuero, la blusa, las botas. Se vistió, le mostró el teléfono.

—¡Llama a Varneroy!

Eva tuvo un movimiento de rechazo, un gesto de asco, pero la mirada de Richard era terrible, demoníaca; cogió el teléfono y marcó el número.

Después de unos momentos, Varneroy respondió. Reconoció la voz de Eva inmediatamente. Richard estaba detrás de ella preparado para pegarle.

—Querida Eva —gorgoteó la voz gangosa—, ¿ya se ha recuperado usted de nuestro último encuentro? ¿Necesita usted dinero? ¡Qué amable es usted acudiendo al viejo Varneroy...!

Eva le dio una cita. Feliz, anunció su llegada en menos de media hora. Varneroy era un loco con el que Eva había «ligado» una noche en el Boulevard des Capucines, en la época en la que Richard la obligaba a buscar clientes en la calle. Desde entonces tenía de sobra para cubrir la sesión bimensual que reclamaba Lafargue y, entre los que llamaban por teléfono al estudio, Richard podía escoger con qué saciar su necesidad de humillar a la joven.

—Trate de estar a la altura de las circunstancias... —dijo sarcásticamente.

Salió dando un portazo. Eva sabía que ahora la estaba espiando al otro lado del espejo sin azogue.

El trato que Varneroy le daba no permitía que sus visitas se pudieran suceder en intervalos muy cercanos. Eva sólo lo llamaba a raíz de las crisis de Viviane. Varneroy entendía perfectamente las reticencias de la joven y, varias veces rechazado después de llamadas apremiantes, se había resignado a dejar un número donde Eva podía encontrarlo cuando estaba dispuesta, eso era lo que él pensaba, a satisfacer sus caprichos.

Varneroy llegó muy alegre. Era un hombre bajito y sonrosado, tripón y aseado, afable. Se quitó el sombrero, colocó cuidadosamente la chaqueta y besó a Eva en las dos mejillas antes de abrir una cartera que contenía el látigo.

Richard asistía, satisfecho, a esta puesta en escena, con las manos crispadas en los brazos de la mecedora y la cara convulsionada por tics nerviosos.

Bajo la dirección de Varneroy, Eva ejecutaba un grotesco paso de baile. Richard aplaudía, reía a carcajadas; pero de repente sintió náuseas, no pudo seguir soportando aquel espectáculo. El sufrimiento de Eva, que le pertenecía, cuyo destino había modelado, a cuya vida había dado forma, lo llenó de asco y de pena. La cara sonriente de Varneroy lo traumatizó tan violentamente que de un salto irrumpió en el estudio contiguo.

Sorprendido por aquella aparición, Varneroy se quedó con la boca abierta, los brazos en el aire. Lafargue le quitó el látigo, lo cogió por el cuello y lo expulsó al pasillo. El loco abría los ojos desorbitadamente no entendiendo nada y, mudo de sorpresa, bajó corriendo las escaleras sin esperar ni un segundo más.

Richard y Eva se quedaron solos. Ella se había caído de rodillas. Richard la ayudó a levantarse y a lavarse en el cuarto de baño. Se vistió de nuevo con la camiseta y el vaquero que llevaba cuando la había sorprendido gritando por el interfono.

Sin decir palabra la llevó a la villa y la desvistió antes de tumbarla en la cama. Con gestos muy suaves, solícito, curó sus heridas con pomada y le preparó un té caliente.

La sujetaba, llevándole a la boca la taza que ella bebía a sorbitos. Luego la tapó con la sábana y le acarició el pelo. Había disuelto un somnífero en el té. Se durmió enseguida.

Salió de la habitación, fue al parque y se dirigió al estanque. Los cisnes dormían uno al lado del otro, la hembra con el cuello bajo el ala, grácil, blandamente apoyada en el cuerpo más poderoso del macho.

Admiró su quietud, envidiando aquella relajante serenidad que su espíritu enfermo nunca alcanzaría. Lloró, enloquecido por lo que acababa de hacer. Había sacado a Eva de las garras de Varneroy y ahora comprendía que esta piedad —lo llamó piedad— acababa de romper claramente su odio, un odio sin límites, sin comedimiento. Y el odio era la única razón de su existencia.

A menudo Tarántula jugaba al ajedrez contigo. Reflexionaba mucho antes de hacer una jugada que tú no esperabas nunca. A veces improvisaba ataques sin preocuparse por proteger su juego, impulsivos pero infalibles.

Un día suprimió las cadenas para instalar un canapé en el lugar del jergón. Allí dormías y descansabas cómodamente todo el día, tumbado entre cojines sedosos. La pesada puerta del sótano seguía sólidamente cerrada con cadenas.

Tarántula te regalaba golosinas, cigarrillos de tabaco rubio, se informaba sobre tus gustos musicales. Vuestras conversaciones tenían un tono frívolo, un barniz mundano. Te había regalado un proyector y llevaba películas que veíais juntos. Preparaba té, te servía infusiones o, cuando notaba que estabas deprimido, descorchaba una botella de champán. Nada más acabar la copa, la llenaba de nuevo.

Ya no estabas desnudo: Tarántula te había regalado un mantón bordado, una pieza magnífica, envuelta en un lujoso paquete. Con tus finos dedos habías deshecho el envoltorio para descubrir el mantón y aquel regalo te había gustado mucho.

Envuelto en el chal te acurrucabas entre los cojines fumando cigarrillos americanos o comiendo cremosos bombones, a la espera de la cotidiana visita de Tarántula, que nunca llegaba con las manos vacías.

Su generosidad contigo parecía no tener límites. Un día se abrió la puerta del sótano y entró empujando ante él con dificultad un enorme paquete sobre ruedas. Sonreía y miraba el papel de seda, el lazo rosa, el ramo de flores...

Ante tu sorpresa te recordó la fecha: 22 de julio. Sí, hacía diez meses que estabas prisionero. Tenías veintiún años. Con circunspección girabas en torno a aquel voluminoso paquete, aplaudías y reías. Tarántula te ayudó a deshacer el lazo. Inmediatamente reconociste la forma de un piano: ¡un Steinway!

Sentado en el taburete, tocaste después de haber desentumecido tus dedos vacilantes. No era en absoluto un resultado brillante, pero llorabas de alegría...

Y tú, tú, Vincent Moreau, el animal de compañía de aquel monstruo, tú, el perro de Tarántula, su monito o su lorito, tú al que había destrozado, tú, sí tú, besaste su mano, riendo a carcajadas.

Por segunda vez te abofeteó.

Alex se aburría en su escondite. Harto de dormir, con los ojos abotargados, se pasaba el día delante de la tele. Prefería no pensar en su futuro y se entretenía como podía. Al contrario que en su estancia en el caserío, hacía la limpieza, fregaba con un cuidado maníaco. Todo estaba irreprochablemente limpio. Pasaba horas sacando brillo al parquet, limpiando las cacerolas...

El muslo ya casi estaba curado. La cicatriz le provocaba algunos molestos picores, pero la herida no le dolía. Una simple gasa había reemplazado al vendaje.

Alex llevaba allí ya quince días cuando, una tarde, tuvo una idea genial, o así lo pensó. Estaba viendo un partido de fútbol en la tele. El deporte nunca le había interesado demasiado, excepto el kárate —los únicos periódicos que leía eran revistas especializadas en artes marciales—; no obstante, seguía el peregrinaje del balón, concienzudamente mal llevado por los jugadores... Medio adormecido por el espectáculo, bebía a sorbos un vaso de vino. No se levantó para apagar la tele cuando el partido terminó. Seguía un programa «médico» sobre cirugía plástica.

El presentador comentaba un reportaje sobre los «estiramientos de piel», la cirugía facial. Seguía una entrevista con el responsable de uno de los servicios especializados de París: el profesor Lafargue. Alex escuchaba pasmado.

—La segunda parte —explicaba Lafargue con ayuda de un dibujo— consiste en lo que llamamos el «raspado» del periostio. Esta es una etapa importante. Su objetivo es, como pueden ver aquí, dejar que el periostio se adhiera a la parte profunda de la piel con el fin de rellenarla.

En la pantalla desfilaban fotos de caras transformadas, remodeladas, esculpidas, embellecidas. Los pacientes estaban irreconocibles. Alex siguió atentamente las explicaciones, cabreado por no entender ciertos términos... Cuando salió la ficha técnica, Alex tomó nota del nombre del médico —Lafargue— y del servicio en el que trabajaba.

La foto en su carnet de identidad, la interesada hospitalidad de su amigo el legionario, el dinero escondido en el desván del edificio; lentamente, pero con precisión, todo encajaba.

El tipo de la tele había dicho que rehacer una nariz era una operación sin importancia, así como la reabsorción de tejidos grasos en ciertos puntos de la cara... ¿Una arruga? ¡El bisturí podía hacerla desaparecer como si fuera una goma de borrar!

Alex corrió al cuarto de baño, se miró en el espejo. Palpó su cara, la prominencia de la nariz, las mejillas demasiado rellenas, la papada...

¡Era muy fácil! El médico había dicho dos semanas: ¡en dos semanas se rehace una cara! Borrón y cuenta nueva. No, no era tan sencillo: habría que convencer al cirujano para que lo operara, a él, Alex, atracador buscado por la policía... Encontrar un medio de presión suficientemente fuerte como para obligarlo a callarse, que lo operara y lo dejara marchar sin avisar a la policía... Puede que Lafargue tuviera hijos, mujer...

Alex leía y releía el pedazo de papel en el que había apuntado el nombre de Richard, las referencias del servicio del hospital... Cuanto más pensaba en ello más excelente le parecía su idea: su dependencia del legionario se reduciría considerablemente si su cara fuera distinta; la policía buscaría a un fantasma, un Alex Barny inexistente; la salida del país sería más fácilmente negociable...

Alex no durmió aquella noche. Al día siguiente se levantó al amanecer, se aseó rápidamente, se cortó el pelo, planchó cuidadosamente el traje y la camisa que había llevado del caserío..., el CX estaba en el garaje.

Tarántula era encantador. Sus visitas duraban cada vez más. Te llevaba periódicos, a menudo comía contigo. Hacía un calor sofocante en el sótano —era el mes de agosto— e instaló una nevera que llenaba todos los días con zumos de frutas. Además del mantón tu guardarropa se había ampliado con una liviana bata y zapatillas.

En otoño Tarántula empezó a ponerte inyecciones. Bajó a verte con una jeringa en la mano. Obedeciendo sus órdenes te tumbaste en el canapé dejando al descubierto las nalgas. La aguja penetró de un golpe en la zona carnosa de los riñones.

Habías visto el líquido translúcido, ligeramente rosado en el émbolo de la jeringa, y ahora estaba dentro de ti.

Tarántula era muy delicado y procuraba no hacerte daño, pero el líquido te producía dolor después de la inyección. Luego se diluía en tu carne y el dolor desaparecía.

No le preguntaste nada a Tarántula acerca de aquel tratamiento. Todo tu tiempo estaba ocupado con el dibujo, el piano y esa intensa actividad artística te bastaba. ¡Qué importancia podían tener las inyecciones! Tarántula era tan amable...

Progresabas rápidamente en música. Tarántula pasaba horas rebuscando partituras en las tiendas especializadas. En el sótano se amontonaban manuales y libros de arte que utilizabas de modelo.

Un día le confesaste el inquietante apodo que le habías puesto. Al final de una comida que habíais hecho juntos. El champán se te había subido un poco a la cabeza. Rojo de confusión, tartamudeando, le confesaste tu falta —dijiste «mi falta»— y sonrió indulgente.

Las inyecciones se repetían regularmente. Pero era un inconveniente llevadero dentro de tu ociosa vida.

Cuando cumpliste veintidós años instaló muebles en el sótano; el proyector desapareció reemplazado por lámparas con pantalla que daban una agradable luz. Al diván se añadieron sofás, una mesa baja, puffs. Una moqueta espesa cubrió el suelo.

Desde hacía tiempo Tarántula había instalado una ducha plegable en un rincón del sótano. Un lavabo de camping *completó la instalación y un retrete provisto de triturador. Tarántula pensó hasta en una cortina para respetar tu pudor. Te probaste el albornoz y pusiste mala cara al color de las toallas. Tarántula las cambió.*

Confinado en el espacio cerrado del sótano, soñabas con espacios abiertos, con viento. Pintaste ventanas falsas en las paredes. A la derecha se veía un paisaje montañoso impregnado de sol y del blanco resplandeciente de las nieves eternas. Una lámpara halógena enfocada a las cumbres cubría con un resplandor cegador aquella apertura ficticia a la vida exterior. A la derecha revocaste el hormigón con pintura azul imitando olas espumosas. Al fondo, los rojos anaranjados de un crepúsculo en llamas, muy conseguido, te llenaban de orgullo.

Además de las inyecciones, Tarántula te hacía tomar múltiples medicinas: cápsulas multicolores, pastillas insípidas, ampollas bebibles. Había arrancado las etiquetas de las cajas... Tarántula te preguntó: ¿estabas preocupado? Te encogiste de hombros y contestaste que tenías confianza. Tarántula acarició tu mejilla. Entonces le cogiste la mano para besarle en la palma. Se puso rígido, por un momento pensaste que iba a pegarte de nuevo. Te volviste para que no viera las lágrimas de alegría que asomaban a tus ojos.

Estabas pálido por vivir así, privado de la luz del sol. Entonces Tarántula te instaló una lámpara de rayos ultravioletas y tomaste baños de sol. Te sentías feliz viendo tu cuerpo adquirir aquel hermoso tono cobrizo, un bronceado integral, y enseñabas las modificaciones espectaculares de tu tono a tu amigo, sintiéndote más feliz cuando también él dejaba expresar su satisfacción.

Los días, las semanas, los meses pasaban aparentemente monótonos pero, de hecho, ricos en placeres múltiples e intensos: el goce estético que sentías en el piano o dibujando te llenaba de alegría.

El deseo sexual se te había apagado. Muy azorado, le preguntaste a Tarántula al respecto. Te confesó que tus comidas contenían sustancias que producían ese efecto. Era, decía Tarántula, para que no te atormentaras, ya que no veías a nadie excepto a él. Sí..., entendías. Te prometió que pronto, cuando próximamente salieras, con una alimentación carente de esos productos, sentirías deseos de nuevo.

Por la noche, solo en el sótano, acariciabas a veces tu sexo fláccido, pero la lástima que sentías se desvanecía si pensabas en tu cercana «salida». Tarántula lo había prometido, no tenías que preocuparte...

4

Alex condujo con prudencia hasta París. Trató de no cometer ninguna infracción. Había pensado desplazarse en autobús y en metro, pero no era una buena idea: seguro que Lafargue se desplazaba en coche y no podría seguirlo.

Alex se instaló frente a la puerta del hospital. Era muy temprano. Alex ya suponía que el médico no tendría consulta al alba, pero quería examinar antes el lugar, reconocer el terreno... En una pared, muy cerca de la verja de entrada, un gran panel indicaba los servicios de los que disponía el hospital con el nombre de los médicos. En efecto, Lafargue figuraba en la lista.

Alex paseó por la calle, apretando en el bolsillo de la chaqueta la culata del colt del poli. Luego se sentó en la terraza de un café desde donde era fácil vigilar la entrada del personal del hospital.

Por fin, hacia las diez, un coche se paró ante el semáforo a algunos metros de donde Alex estaba esperando: un Mercedes conducido por un chófer. Alex reconoció inmediatamente a Lafargue sentado en la parte trasera, leyendo el periódico.

El Mercedes esperó que cambiara el semáforo, luego se metió por la avenida que llevaba al *parking* del hospital. Alex vio que Lafargue bajaba. El chófer se quedó un rato en el coche y luego, como hacía mucho calor, fue a sentarse en la terraza del mismo café.

Roger pidió una caña. Hoy su jefe tenía una intervención importante y se iría del servicio inmediatamente después para ir a su clínica de Boulogne, donde tenía una reunión.

El coche de Lafargue tenía matrícula 78, Yvelines. Alex conocía de memoria todos los números regionales; además, mientras estaba solo en el caserío se entretenía recordando esos números empezando por el 01 y recitándolos en orden, jugando a hacerse preguntas; en el periódico cuentan que un viejo de ochenta años se ha vuelto a casar. ¿Ochenta? Ochenta es la suma...

El chófer no parecía tener prisa. Sentado en una mesa de la terraza hacía crucigramas, totalmente absorto en las casillas. Alex pagó su consumición y entró en el despacho de correos que estaba al lado del hospital. No veía ahora la verja, pero tenía que ser una maldita casualidad que el médico se largara en aquel cuarto de hora.

Consultó un listín telefónico. Lafargue es un apellido corriente, había páginas enteras... Lafargue con s, sin s, con una f... Los L-A-F-A-R-G-U-E, con una sola f y sin s, eran menos numerosos. Y los Lafargue médicos, menos todavía. Tres en el 78; uno de ellos vivía en Saint-Garmain, otro en Plaisir, el tercero en Vésinet. Lafargue era uno de los tres. Alex tomó nota de las tres direcciones.

De vuelta al café constató que el chófer seguía allí. Cuando dieron las doce, el camarero preparó las mesas para la comida. Parecía que conocía bien al chófer porque le preguntó si comía allí hoy.

Roger contestó negativamente. Hoy el jefe se largaba para Boulogne en cuanto saliera del quirófano.

Efectivamente, el cirujano salió enseguida. Subió en el Mercedes y el chófer se puso al volante. Alex siguió al coche. Dejaron el centro de París para dirigirse a Boulogne. La persecución no era demasiado complicada. Alex conocía el destino a grandes rasgos.

Roger aparcó delante de una clínica y volvió a sus crucigramas. Alex anotó el nombre de la calle en un trozo de papel. Desconfiaba de su memoria. La espera fue larga. Alex paseaba por los alrededores tratando de no hacerse notar demasiado. Luego, sentado en un parque, siguió esperando sin perder de vista el Mercedes. Había dejado la puerta de su coche abierta de modo que pudiera arrancar sin pérdida de tiempo en caso de que el médico apareciera de repente.

La reunión para planificar las próximas intervenciones duró poco más de una hora. Richard casi no despegó los labios. Tenía un color macilento, demacrado. Desde la sesión con Verneroy vivía como un autómata.

Alex había entrado en un estanco para comprar tabaco cuando Roger, viendo a Lafargue en el vestíbulo de la clínica, abrió la puerta trasera del Mercedes. Se metió en el CX y arrancó manteniéndose a prudencial distancia. Cuando vio que la dirección que tomaban era claramente la de Vésinet abandonó. Era inútil arriesgarse a que lo vieran ahora que tenía la dirección en el bolsillo...

Más tarde volvió. La villa de Lafargue era imponente, rodeada por un muro que ocultaba la fachada. Alex inspeccionó las casas de los alrededores. La calle estaba desierta. No podía seguir allí mucho tiempo más. Notó que las contraventanas de las villas vecinas estaban cerradas. Vésinet había quedado vacío en el mes de agosto... Eran las cuatro y Alex dudaba. Contaba con inspeccionar la vivienda del cirujano esa misma noche, pero no sabía qué hacer mientras esperaba. A falta de nada mejor decidió dar un paseo por el cercano bosque de Saint-Germain.

Volvió a Vésinet hacia las nueve y aparcó el CX a buena distancia de la calle en la que vivía Lafargue. Empezaba a anochecer, pero todavía se veía con bastante claridad. Escaló el muro de una villa cercana para observar el parque de la de Lafargue. Se sentó a horcajadas en el muro, medio camuflado por el espeso follaje de un castaño cuyas ramas crecían en todas direcciones. De lejos no podían verlo y si algún transeúnte apareciera por la calle, se ocultaría del todo entre las ramas.

Vio el parque, el pequeño estanque, los árboles, la piscina. Lafargue cenaba fuera en compañía de una mujer. Alex sonrió.

Era un buen punto de partida. ¿Tendría niños? No..., comerían con sus padres. Puede que estuvieran de vacaciones. ¿Niños pequeños que estuvieran ya acostados? Lafargue tendría unos cincuenta años y sus hijos, de tenerlos, por lo menos serían adolescentes... No estarían en la cama a las diez una noche de verano. Además no había ninguna luz encendida en el bajo ni en el piso. Un farol de jardín proporcionaba una claridad bastante débil cerca de la mesa en la que estaba la pareja.

Alex, satisfecho, abandonó su punto de vigilancia y saltó a la acera. Hizo una mueca: su muslo todavía frágil encajaba mal los golpes. Volvió al CX para estar en completa oscuridad. Fumó con nerviosismo, encendió otro cigarrillo con la colilla del anterior. A las diez y media volvió a la villa. La calle seguía igual de desierta. A lo lejos se oyó una bocina.

Recorrió el muro de la propiedad de Lafargue. Al final encontró en la acera una gran caja de madera que contenía palas, rastrillos, las herramientas de los empleados municipales. Se subió a ella, se izó hasta el borde del muro, recuperó el equilibrio y luego, calculando la caída, aterrizó en el parque. Agachado contra un matorral, esperó: si había perro no tardaría en aparecer. Ningún ladrido... Inspeccionó los arbustos que tenía alrededor y avanzó pegado al muro. Buscaba un punto de apoyo que le permitiera, desde el interior del parque, poder escalar el muro en sentido inverso a su regreso... Cerca del estanque, una falsa gruta de hormigón servía de refugio a los cisnes por la noche. Construida contra el muro tenía una altura de un metro. Alex sonrió e hizo una prueba. Era un juego de niños saltar de nuevo a la calle. Tranquilizado, avanzó por el parque más allá de la piscina. Lafargue había entrado, los alrededores de la villa estaban desiertos. En el primer piso la luz se filtraba a través de las cerradas contraventanas.

De las ventanas se escapaba una música ligera. Piano... No era un disco: se paraba, volvía atrás, adelante. Por el otro lado de la casa había otras ventanas iluminadas. Alex se pegó a la pared, escondido por la abundante hiedra que tapaba la fachada: acodado en una de las balaustradas del piso, Lafargue contemplaba el cielo, Alex contuvo el aliento. Pasaron varios minutos y, por fin, el médico cerró la ventana.

Alex dudó un buen rato: ¿debía o no arriesgarse a entrar en la casa? Sí, tenía que reconocer el lugar, lo suficiente al menos como para saber dónde se metía cuando volviera para secuestrar a la mujer del cirujano.

La casa era grande y todas las ventanas del piso tenían luz. Lafargue y su mujer debían de tener habitaciones separadas. Alex sabía que los burgueses no siempre duermen juntos...

Con el colt en la mano, subió las escaleras de la entrada, giró el pomo de la puerta; no hubo resistencia. Empujó la puerta suavemente.

Sólo avanzó un paso. Una gran habitación a la izquierda, otra a la derecha, separadas por una escalera... La habitación de la mujer estaba a la derecha.

Una burguesa no se levanta temprano por las mañanas. ¡Seguro que nunca madrugaba aquella puta! Alex tenía que vigilar la salida de Lafargue y darse prisa para encontrarla todavía dormida.

Volvió a cerrar la puerta sin ruido. Corrió sin ruido hasta el estanque, escaló la gruta y se dejó caer por el muro. Todo estaba en orden. Caminaba a zancadas hacia su coche. Pero ¡no estaba todo en orden! Roger, el chófer...; hacía de criado de Lafargue, pero ¿y si había una criada? Una que viniera a hacer la limpieza. Sería desastroso encontrársela.

Alex fue hacia el periférico, respetando escrupulosamente el código de circulación. Eran las doce de la noche cuando llegó al pabellón de Livry-Gargan.

Al día siguiente por la mañana temprano volvió a Vésinet. Intranquilo, acechaba la casa de Lafargue, convencido de que vería llegar a otro criado. Tenía que secuestrar a la mujer de Lafargue sin testigos: el cirujano capitularía ante el chantaje —o me haces una jeta nueva o mato a tu mujer—, pero si alguien presenciaba el rapto: un criado, un jardinero, cualquiera, avisarían a la policía sin tardanza y el bonito plan de Alex se iría al carajo.

Pero Alex estaba de suerte... Nunca lo supo. En efecto, Lafargue tenía una criada: Lina se había marchado de vacaciones dos días antes. De las cinco semanas que le daba el doctor al año, cogía dos en verano para ir a casa de su hermana en Morvan y el resto en invierno, también para ir a casa de su hermana en Morvan.

Nadie fue a casa de Lafargue en toda la mañana. Un poco más tranquilo, Alex se largó hacia París. Tenía interés en verificar los horarios del doctor. ¿Trabajaría todos los días? Si se tomaba un día de descanso a la semana tenía que enterarse lo antes posible... Alex contaba informarse por el secretario del servicio, pretextando cualquier excusa.

El chófer esperaba como todos los días en la terraza de la cervecería frente al hospital. Alex, sediento, pidió una caña y se disponía a saborearla cuando vio que Roger se levantaba precipitadamente. Lafargue estaba en el *parking* y llamaba a su chófer. Tuvieron una breve conversación y luego Roger dio las llaves del Mercedes al cirujano, antes de dirigirse a regañadientes a la estación de metro más próxima. Alex ya estaba al volante de su CX.

Lafargue conducía como un loco. No tomó la dirección de Boulogne. Enloquecido, Alex lo vio torcer en dirección al periférico y a la autopista.

La idea de una persecución en un tramo largo no le hacía ninguna gracia. Sin quitar los ojos de los faros traseros del Mercedes, reflexionaba... Lafargue tiene hijos, se dijo. Sí, están de vacaciones, acaba de recibir malas noticias, uno de ellos debe estar enfermo. ¿Irá a verlo? ¿Por qué ha salido del trabajo antes que de costumbre y ha mandado marchar al chófer? Sí, debe de ser eso... ¿Una amante a la que va a visitar de repente en pleno día? ¿Qué significado tiene todo este lío?

Lafargue avanzaba sorteando los coches. Alex lo seguía muerto de miedo, pensando en un control de la policía de carretera en algún peaje... El Mercedes había salido de la autopista. Ahora estaban en una comarcal llena de curvas —que no le hacían disminuir la velocidad—. Alex estaba a punto de abandonar por miedo a que lo viera, pero Lafargue no miraba en ningún momento por el retrovisor. Viviane tenía otra crisis: el psiquiatra había llamado, como había prometido. Richard sabía lo que significaba la visita —la segunda en menos de una semana— a su hija... Esa noche, cuando regresara a Vésinet no le mandaría a Eva que llamara a Varneroy... ¡Imposible, después de lo que había pasado! Y entonces, ¿cómo se iba a consolar?

El Mercedes aparcó a la entrada de un castillo. Un discreto rótulo indicaba que se trataba de una institución psiquiátrica. Alex, perplejo, se rascó la cabeza.

Richard subió sin esperar al psiquiatra hasta la habitación de Viviane. Se encontró con el mismo espectáculo: su hija presa de una desordenada agitación, pataleando, intentando mutilarse. No entró en la habitación. Con la cara pegada a la mirilla sollozaba suavemente. El psiquiatra, avisado de su llegada, fue hasta allí. Sostuvo a Lafargue para ayudarle a descender a la planta baja. Se metieron en un despacho.

—No volveré —dijo Lafargue—, es demasiado duro. Insoportable, ¿me comprende?

—Comprendo...

—¿Necesita algo...? Ropa..., no sé...

—¿Qué quiere que necesite? ¡Serénese, señor Lafargue! ¡Su hija no saldrá nunca de este estado! No crea que soy insensible: tiene usted que aceptarlo como es. Vegetará mucho tiempo, su vida se verá interrumpida por crisis como la que acabamos de presenciar... Podemos darle calmantes, atiborrarla de neurolépticos pero, en realidad, no podemos resolver nada seriamente y usted lo sabe: la psiquiatría no es lo mismo que la cirujía. No podemos modificar las apariencias. No disponemos de herramientas «terapéuticas» tan precisas como las suyas...

Richard se había tranquilizado. Poco a poco recobró el dominio de sí mismo con un gesto de distanciamiento.

—Sí... Sin duda, tiene usted razón.

—Yo... Yo querría que usted me permitiera... que no lo avisemos más cuando Viviane...

—Sí —cortó Richard—, no llame más.

Se levantó, se despidió del psiquiatra y subió al coche. Alex lo vio salir del castillo. No arrancó. Había un 99 por 100 de probabilidades de que Lafargue volviera a Vésinet, a Boulogne o al hospital.

Alex fue a comer al pueblo de al lado. La plaza estaba llena de tiovivos que estaban siendo montados. Reflexionaba. ¿Quién vivía en aquella ratonera, con los locos? Si era un niño, Lafargue debía quererlo mucho para ir corriendo a visitarlo dejando su trabajo.

De repente Alex se envalentonó, apartó su plato casi lleno todavía de patatas fritas grasientas y pidió la cuenta. Compró un ramo de flores, una caja de bombones y se fue al manicomio. Lo recibió en el vestíbulo la enfermera de cofia blanca.

—¿Viene a visitar a algún enfermo?

—Pues... sí.

—¿Cómo se llama?

—Lafargue.

—¿Lafargue?

Al ver la cara de sorpresa de la enfermera, Alex creyó que había metido la pata. Ya se imaginaba a Lafargue con una amante, enfermera de locos...

—Pero... ¿no ha venido nunca a ver a Viviane?

—No, es la primera vez... Soy primo de ella.

La enfermera lo miraba con asombro. Dudó un momento.

—Hoy no es posible que la vea. No está bien. ¿No le avisó el señor Lafargue?

—No, yo tenía que... En fin, hace tiempo que tenía prevista esta visita...

—No comprendo: hace menos de una hora que el padre de Viviane ha estado aquí...

—No ha podido avisarme; estoy fuera desde por la mañana.

La enfermera meneó la cabeza, se encogió de hombros. Cogió las flores y los bombones y los dejó en su mesa.

—Le daré esto en otro momento, hoy no merece la pena. Venga.

Cogieron el ascensor. Alex seguía a la enfermera, balanceando los brazos. Cuando llegaron a la habitación le señaló la mirilla. Alex se asustó cuando vio a Viviane. Yacía en una esquina de la habitación y miraba la puerta con una extraña expresión.

—No puedo dejarle entrar... ¿Comprende?

Alex comprendía. Sentía las manos húmedas y una especie de náuseas. Miró una vez más a la loca y le pareció haberla visto ya en alguna otra parte. Pero, sin duda, se equivocaba.

Se fue rápidamente de la clínica de locos. Incluso, aunque Lafargue adorara a esta chalada, no la secuestraría. Sería como tirarse a los brazos de la poli. Y, además, ¿cómo hacerlo? ¿Tomando el castillo al asalto? No... La mujer de Lafargue sería el rehén.

Volvió a la región de París conduciendo prudentemente. Ya era tarde cuando llegó a su escondite en Livry-Gargan.

Al día siguiente por la mañana volvió a plantarse ante la villa de Lafargue. Estaba tenso, nervioso, pero no tenía auténtico miedo. Toda la noche había estado rumiando su proyecto, imaginando las consecuencias de la transformación de su cara.

Roger llegó a las siete, solo, a pie, con *L'Equipe* bajo el brazo. Alex estaba aparcado a cincuenta metros de la verja de entrada. Sabía que todavía tendría que esperar; Lafargue acostumbraba llegar al hospital hacia las diez.

Hacia las nueve y media el Mercedes se paró delante de la verja. Roger bajó para abrirla y sacó el coche, se paró de nuevo para cerrarla sólo con un portazo. Alex lanzó un profundo suspiro cuando vio que Lafargue se alejaba.

Lo ideal era sorprender a la zorra durmiendo. Tenía que actuar sin pérdida de tiempo. No había visto a ningún otro criado los días anteriores, pero no se puede estar seguro de nada... Arrancó y avanzó hasta situarse delante de la casa de Lafargue. Giró la manilla de la verja y, con toda la naturalidad del mundo, entró en el parque.

Caminaba hacia la casa con la mano en el bolsillo crispada sobre la culata del colt. Las contraventanas del apartamento de la derecha estaban cerradas y le sorprendió un detalle en el que todavía no se había fijado: estaban cerradas por fuera como si se tratara de ventanas cegadas. Sin embargo, estaba seguro de haber visto luz en el lugar de donde salía la música de piano.

Se encogió de hombros y siguió inspeccionando. Había dado una vuelta entera a la casa y ahora se encontraba frente a la escalera. Respiró profundamente y abrió la puerta. La planta baja era como la había visto la víspera de noche: un gran salón, una biblioteca-despacho y, en medio, una escalera que llevaba al piso. Subió las escaleras conteniendo el aliento, pistola en mano.

Se oía canturrear al otro lado de la puerta, una puerta cerrada con tres cerrojos... Alex, incrédulo, pensó que el cirujano estaba loco porque encerraba a su mujer... No, igual era una perdida; hacía bien desconfiando... Delicadamente abrió el primer cerrojo. La mujer seguía canturreando. El segundo..., el tercero. ¿Y si la cerradura estuviera cerrada con llave? Con el corazón palpitando a tope giró el pomo. La puerta se abrió lentamente, sin que le rechinaran los goznes.

La tipa aquella, sentada delante del tocador, se maquillaba. Alex se pegó a la pared para que no lo viera por el espejo. Ella le daba la espalda, desnuda, concentrada en el maquillaje. Era guapa, de cintura estrecha y nalgas —aplastadas sobre el taburete— musculosas. Alex se inclinó para dejar su colt en la moqueta y de un salto se lanzó sobre ella, dándole un puñetazo en la nuca.

Había controlado su fuerza, como experto que era. En Meux, en la sala de fiestas de la que era matón, había escándalos muy a menudo y él calmaba enseguida a los que los provocaban. Un golpe seco en la cabeza y sólo había que arrastrar hasta la calle a los alegres juerguistas...

Yacía inerte en la alfombra. Alex temblaba. Le tomó el pulso, tuvo ganas de acariciarla, pero ciertamente no era el momento. Bajó la escalera. Cogió una botella de *whisky* y bebió a morro un buen trago.

Salió de la casa, abrió la verja de par en par y, conteniendo la gana de correr, llegó hasta el CX y lo arrancó. Lo aparcó en el parque, delante de las escaleras de entrada a la villa. Corrió hasta la habitación. La mujer no se había movido. La ató cuidadosamente con una cuerda que había sacado del maletero del CX y la amordazó con esparadrapo antes de envolverla en la colcha.

La cogió en brazos para bajarla a la planta baja y la encerró en el maletero. Bebió otra vez de la botella y la dejó vacía en el suelo. En la calle un matrimonio de edad avanzada paseaba un perro, pero no le prestaron ninguna atención.

Tomó la carretera de París y la cruzó para volver a Livry-Gargan. Iba controlando por el retrovisor; nadie lo seguía.

Al llegar a su casa abrió el maletero y llevó a la señora Lafargue, todavía tapada con la colcha, al sótano. Para más seguridad, ató la cuerda a un antirrobo de moto, una gruesa cadena forrada de plástico, y lo cerró alrededor de una tubería de agua.

Apagó la luz y salió del sótano para volver poco más tarde con una cacerola llena de agua helada que arrojó a la cabeza de la mujer. Se puso a patalear, pero la cuerda le impedía los movimientos. Gemía sin poder gritar. Alex sonrió en la oscuridad. No había visto su cara y no podría describirlo cuando la soltara. Si es que la soltaba. Sí, después de todo el cirujano le vería la cara. Podría hacer un retrato robot una vez que hubiera terminado la operación. Lafargue podría describir el nuevo rostro de Alex... Alex, que había matado a un poli y secuestrado a la mujer del profesor Lafargue. Bueno, se dijo Alex, lo importante de momento es obligar a ese tipo a operarme, luego ya veremos. Sin duda, tendría que matar a Lafargue y a su mujer...

Subió a su habitación, feliz por el éxito de la primera parte de su plan. Esperaría a la noche, a que volviera Lafargue a Vésinet, sorprendido por la desaparición de la fulana y negociaría con el cirujano. Habría que matizar todos los detalles...

¡Iba a jugar duro! ¡Ya verían todos esos cerdos quién era Alex!

Se sirvió un vaso de vino, chasqueando la lengua después de beber. Y la puta, pensaba tirársela. ¿Por qué no? Lo cortés no quita lo valiente...

Paciencia, se dijo, ocúpate primero de Lafargue; luego ya pensarás qué hacer con la putilla...

Tercera parte

LA PRESA

1

¡Es horrible! Todo vuelve a empezar... No entiendes nada o, mejor dicho, temes comprender demasiado bien; ¡esta vez Tarántula va a matarte!

Desde hace tres días no te ha dirigido la palabra. Te traía las comidas a la habitación evitando incluso mirarte... Cuando irrumpió en el estudio para poner fin a los latigazos que te propinaba aquel loco de Varneroy te quedaste sorprendida. Se desmoronaba, era la primera vez que mostraba piedad. Al volver a Vésinet estuvo tierno, atento a tus dolores. Curó tus heridas con pomada y, sorprendida, viste cómo sus ojos se llenaron de lágrimas.

Luego, esta mañana, lo oíste marchar al hospital. Y volvió sin avisarte, se lanzó sobre ti, te golpeó y estás de nuevo prisionera en el sótano, encadenada en la oscuridad.

El infierno vuelve, exactamente como hace cuatro años, después de que te capturara en el bosque.

Va a matarte, este Tarántula que se ha vuelto loco, todavía más loco que antes. Sí, Viviane ha tenido una nueva crisis, ha ido a verla a Normandía y no lo ha podido soportar. Ya no le basta con prostituirte. ¿Qué va a inventar ahora?

Sin embargo, estos últimos meses había cambiado mucho. Ya no era tan perverso. Claro que seguía chillando por ese maldito interfono para sorprenderte...

Después de todo, era preferible morir. Nunca tuviste valor para suicidarte. Aniquiló en ti toda idea de rebeldía. ¡Te has convertido en su cosa! ¡Ya no eres nada!

A menudo soñabas con escaparte, pero ¿adónde ir en tal estado? ¿Volver con tu madre, tus amigos? ¿Con Alex? ¿Quién te reconocería? Lo consiguió... Te ató a él para siempre.

Esperemos que este «siempre» se acabe pronto, que se termine, que deje de manipularte...

Ató tu cuerda fuertemente y no te puedes mover. El cemento del sótano te desuella la piel. La cuerda te irrita el pecho y te lo comprime. Te duelen los pechos.

Tus pechos...

Tus pechos... Se había preocupado enormemente porque nacieran. Algún tiempo después del inicio de las inyecciones empezaron a crecer. Al principio no te preocupaste, atribuyendo la aparición de aquellos cúmulos de grasa a la vida indolente que llevabas. Pero en cada visita Tarántula te palpaba el pecho y movía la cabeza. No había duda. Horrorizado viste cómo tu pecho se abultaba, tomaba forma. Día tras día espiabas los progresos del crecimiento de tus mamas y estrujabas tu sexo, desesperanzadoramente fláccido. Llorabas a menudo, Tarántula te tranquilizaba. Todo iba bien. ¿Te faltaba algo? ¿Qué te podía regalar que ya no tuvieras? Sí, era tan amable, tan atento...

Dejaste de llorar. Para olvidar, pintabas, pasabas largas horas al piano. Nada cambiaba. Tarántula venía cada vez más a menudo. Era ridículo. Os conocíais desde hacía dos años, había hecho desaparecer tu pudor; al principio del encierro hacías tus necesidades delante de él y ahora le ocultabas tus pechos, ajustando constantemente la bata para disminuir el escote. Tarántula te dijo que te probaras un sujetador. Era inútil: tus senos, duros y firmes, no lo necesitaban para nada. Pero mejor así. Un sujetador, una blusa; estabas más cómodo.

Igual que sucedió con las cadenas, con el sótano, con las inyecciones, te fuiste habituando poco a poco a aquel nuevo cuerpo, se te hizo familiar. Y, además, ¿para qué pensar?

Y tus cabellos... Al principio Tarántula te los cortaba. Luego los dejó crecer. ¿Había sido por efecto de las inyecciones, de las cápsulas, de las ampollas? Se habían ahuecado. Tarántula te daba champús, te regaló un neceser de peluquería. Te empezó a gustar cuidarlo. Probabas diferentes peinados: moño, cola de caballo; luego te lo rizaste y ahora lo llevas así.

Va a matarte, hace calor en el sótano, la sed de nuevo... Hace un rato te roció con agua helada, pero no pudiste beber.

Esperas la muerte. Ya nada importa. Recuerdas el instituto, el pueblo, las chicas, las chicas..., tu amigo Alex. Nunca volverás a ver nada de eso. Te habías acostumbrado a la soledad; tu único compañero era Tarántula. A ratos sentías nostalgia, momentos de depresión. Te daba calmantes, te llenaba de regalos, el muy cabrón, todo para llevarte a esto…

¿A qué espera? Debe estar tramando refinadas crueldades, una puesta en escena para tu asesinato... ¿Te matará él mismo o te dejará en manos de algún Varneroy?

¡No! No puede soportar que otros te toquen, que se acerquen a ti, quedó bien claro cuando golpeó a ese loco de Varneroy que te estaba lastimando con el látigo.

¿Será culpa tuya? Te burlabas de él, estos últimos tiempos... Cuando entraba en la habitación, si estabas al piano, le tocabas «The Man I Love», aquella melodía que odiaba. O bien, y eso era más perverso, lo provocabas. Vive sólo desde hace muchos años. ¿Tendrá una amante? No..., es incapaz de amar.

Te diste cuenta de la turbación que sentía cuando te veía desnuda. Estás segura de que te tenía gana, pero que le repugnaba tocarte. Evidentemente es comprensible. De todas formas te deseaba. Estabas siempre desnuda en la habitación. Una vez te volviste hacia él, sentada en el taburete giratorio del piano y separaste las piernas, abriéndole tu sexo. Viste cómo tragó saliva, enrojeció. Es eso lo que lo puso más loco aún: tener gana de ti a pesar de lo que eres...

¿Durante cuánto tiempo va a dejar que te pudras en este sótano? La primera vez, después de la persecución por el bosque, te dejó durante ocho días solo en la oscuridad. ¡Ocho días! Luego te lo confesó.

Quizá si no hubieras provocado su deseo no se vengaría hoy de este modo...

Es absurdo pensar eso... Es por Viviane. Viviane, loca de atar desde hace cuatro años... Cuanto más tiempo pasa la evidencia de que no tiene curación se hace más firme... No tiene solución y no quiere admitir que esa chiflada sea su hija. ¿Qué edad tiene ahora? Tenía dieciséis, tiene veinte. Y tú tenías veinte, tienes veinticuatro...

Morir a los veinticuatro años no es justo. ¿Morir? Pero hace ya dos años que has muerto. Vincent murió hace dos años. El fantasma que lo sobrevive no tiene importancia.

Sólo es un fantasma, pero puede seguir sufriendo hasta el infinito. No quieres que te siga manoseando, sí, sí, ésa es la palabra adecuada, estás harto de sus maniobras, de sus insanas manipulaciones. Todavía va a hacerte sufrir. ¡Sabe Dios lo que es capaz de maquinar! Es un experto en torturas, ya lo ha demostrado.

Tiemblas, tienes ganas de fumar. Te falta el opio, ayer te ha dado y has fumado. Ese momento, siempre por la tarde, cuando viene a verte y preparan las pipas, es uno de tus grandes placeres, La primera vez vomitaste, te dio asco. Pero insistió. Era el día que ya no podías negar la evidencia: tus senos estaban creciendo. Te sorprendió solo en el sótano llorando. Para consolarte te propuso un nuevo disco, pero le mostraste tus pechos; no podías hablar, tenías un nudo en la garganta. Salió y volvió unos minutos más tarde con lo necesario: la pipa, las bolitas aceitosas. Un regalo envenenado. Tarántula es una araña de variados venenos. Te dejaste convencer y luego fuiste tú quien le reclamabas la droga si algún día se olvidaba del cotidiano ritual. Tu asco al opio de los primeros días queda muy lejos. Un día, después de haber fumado, te dormiste en sus brazos; exhalabas las últimas caladas de la pipa; sentado a tu lado en el sofá te tenía abrazado. Maquinalmente te acariciaba la mejilla. Su mano rozaba tu piel lisa. Involuntariamente le habías ayudado en tu transformación: nunca habías tenido barba. Cuando érais chavales, Alex y tú esperábais que os salieran pelos, bozo en el labio. Muy pronto Alex se dejó bigote, al principio ralo y después cerrado. Tú seguías completamente lampiño. Un detalle menos que tenía que solucionar Tarántula. Pero te dijo que eso no tenía importancia, ¡las inyecciones de estrógenos te habrían dejado imberbe de todas formas! A pesar de todo, te daba rabia haberle ofrecido facilidades, con tu hermosa cara de niña, como decía Alex...

Y tu cuerpo fino, de delgados músculos, volvió loco a Tarántula. Una noche te preguntó si eras homosexual también. No entendiste el «también». No, no eras homosexual. No porque la tentación, a veces, no se te hubiera presentado... Pero no, nunca habías probado. Tarántula no lo era, como en un principio había creído. Sí..., aquel día que se acercó a ti para palparte. Confundiste su examen con caricias. Acuérdate: todavía estabas encadenado, tímidamente intentaste tocarlo ¡y te pegó!

Te quedaste de piedra. ¿Para qué te tenía prisionero si no era para abusar de ti, para utilizarte como objeto sexual? Era la única explicación que habías podido encontrar al trato que tenías que soportar... Un puto maricón maníaco que quería disfrutar de un amiguito domesticado. Ante este pensamiento te llenaste de rabia, luego te dijiste: no importa, le seguiré el juego, que me haga lo que quiera, un día me escaparé, volveré con Alex y le romperemos el alma...

Pero es otro juego el que has jugado, poco a poco, sin saberlo. Un juego cuyas reglas marcó Tarántula: el juego de la oca de tu destrucción..., una casilla/sufrimiento, una casilla/regalo, una casilla/inyecciones, una casilla/piano... Una casilla/Vincent, una casilla/Eva.

Lafargue había tenido una tarde agotadora: una intervención de varias horas de un niño con la cara quemada; la piel del cuello se había retraído y había que injertar pacientemente.

Mandó a Roger que se marchara a la salida del hospital y volvió solo a Vésinet, deteniéndose de paso en una floristería donde encargó un magnífico ramo.

Cuando vio la puerta abierta de par en par y la entrada al apartamento de Eva descerrajada dejó caer las flores y, enloquecido, corrió hasta el primer piso. El taburete del piano estaba tirado, un jarrón roto; un vestido y ropa interior por el suelo. Los zapatos de tacón, uno medio aplastado, habían sido olvidados cerca de la cama.

Richard se acordó de un detalle sorprendente: la verja de la entrada estaba abierta de par en par y Roger, por la mañana, la había cerrado. ¿Un repartidor? Quizá Lina hubiera hecho algún pedido antes de marcharse de vacaciones... Pero ¿la ausencia de Eva? ¡Se había fugado...! El repartidor había llegado, había encontrado la casa vacía y ante la insistencia de Eva había abierto los cerrojos...

Richard daba vueltas aterrorizado. ¿Por qué no se había puesto el vestido que había dejado preparado encima de la cama? ¿Y dónde estaba la colcha? Todo aquello, la historia del repartidor, no tenía sentido. Sin embargo, había estado a punto de ocurrir una vez, hacía un año, precisamente estando Lina de vacaciones. Por suerte, Richard había regresado en aquel preciso momento y había escuchado cómo Eva suplicaba tras la puerta; había tranquilizado al repartidor: todo era normal, su mujer tenía una depresión, ésta era la razón de los cerrojos...

En cuanto a Lina y a Roger, la pretendida «locura» de Eva había bastado para acallar sus preguntas; además, Richard se mostraba afectuoso con la joven y desde hacía un año le permitía salir cada vez más a menudo..., a veces cenaba en la planta baja. La loca pasaba el día tocando el piano o pintando... Lina limpiaba el apartamento.

Nada parecía anormal. Eva estaba rodeada de regalos. Un día Lina había levantado la tela blanca que tapaba el caballete, y al ver aquel cuadro que representaba a Richard —disfrazado de travesti, sentado delante de una barra de discoteca— se había dicho que, efectivamente, la patrona no estaba bien de la cabeza. El señor tenía mucho mérito tolerando esta situación: mejor haría metiéndola en un hospital, pero, la verdad, ya era demasiado... La mujer del profesor Lafargue en el manicomio..., teniendo en cuenta que la hija ya estaba...

Richard, desesperado, se tiró en la cama. Estrujaba el vestido y sacudía la cabeza.

El teléfono sonó. Se precipitó a la planta baja para cogerlo. No reconoció la voz.

—¿Lafargue? Tengo a tu mujer...

—¿Cuánto quiere? Dígamelo. Pagaré...

Richard había gritado y se le había quebrado la voz.

—No te pongas nervioso, no es eso lo que quiero, el dinero

me da por el culo. En fin, ya veremos si también me puedes dar algo...

—Por favor, dígame, ¿está viva?

—¡Naturalmente!

—No le haga daño...

—No te preocupes, no me la voy a cargar...

—¿Entonces?

—Tengo que verte. Para charlar.

Alex le dio una cita: esa misma noche, a las diez, delante del *drugstore* de Opera.

—¿Cómo lo reconoceré?

—No te preocupes por eso. Yo te conozco... Ven solo y no te hagas el listo, de lo contrario ella lo va a pasar mal.

Richard asintió. Su interlocutor ya había colgado.

Richard hizo lo mismo que Alex unas horas antes: cogió la botella de *whisky* y bebió a morro un largo trago. Bajó al sótano para comprobar que no habían tocado nada. Las puertas estaban cerradas, todo estaba en orden allí.

¿Quién era aquel tipo? Un criminal sin duda. Sin embargo, no pedía pasta, por lo menos no la pedía de momento. Quería otra cosa. ¿Qué sería?

No había dicho nada de Eva. Inmediatamente después de la detención de Vincent había tenido mucho cuidado para que nada delatara su presencia. Incluso había despedido a los dos criados anteriores a Lina y a Roger, contratados tiempo después, una vez que la situación con Eva se había «normalizado» en parte... Tenía miedo que la policía encontrara su pista. Los padres de Vincent no cejaban en la búsqueda, lo sabía por los periódicos locales... Afortunadamente, todo había salido bien: había atrapado a Vincent de noche, lejos de todo, había hecho desaparecer las huellas, pero ¿quién sabe? El mismo con su denuncia de lo de Viviane, una casualidad cualquiera que le relacionara... Todo era posible.

Luego había pasado el tiempo. Seis meses, un año, al poco dos... Hoy cuatro... El asunto había quedado enterrado.

Y si aquel tipo hubiera sabido quién era Eva no habría dicho «tu mujer». Creía que Eva y Richard estaban casados. Lafargue se dejaba ver a veces con ella y la gente pensaba que tenía una amante joven... Desde hacía cuatro años había roto sus relaciones con los antiguos amigos que explicaron esta súbita desaparición por la locura de Viviane. «¡Pobre Richard! —dijeron—, es lógico que esté afectado: su mujer muerta en accidente de avión hace diez años y su hija en el psiquiátrico, la pobre...»

Los que conocían a Eva eran colegas, conocidos de trabajo, y nadie se extrañaba de la presencia de una mujer a su lado en las raras ocasiones en las que se dejaba ver. Los murmullos de admiración que acompañaban entonces la aparición de la «amante» lo llenaban de orgullo... ¡profesional!

El secuestrador lo ignoraba todo de Vincent. Era evidente. Pero ¿qué quería?

Lafargue llegó antes de la hora a la cita con Alex. Caminó de un lado a otro de la acera, empujado por la gente que entraba y salía del *drugstore*. Miraba el reloj cada veinte segundos. Por fin, Alex lo abordó, después de haberse asegurado de que el médico estaba solo.

Richard miró el rostro de Alex, un rostro cuadrado, brutal, que dejaba adivinar una violencia contenida...

—¿Has traído el coche?

Richard señaló el Mercedes, aparcado cerca de allí.

—Vamos...

Alex le indicó que se sentara al volante y que arrancara. Había sacado el colt del bolsillo y lo había dejado sobre las piernas. Richard lo espiaba esperando que cometiera algún error. Al principio Alex no habló. Se limitaba a decir «de frente», «a la izquierda», «a la derecha»; el Mercedes se alejó del barrio de la Opera para dar una gran vuelta por París, de la Concorde a los Quais; de la Bastille a Gambetta... Alex no dejaba de mirar por el retrovisor. Cuando estuvo seguro de que Richard no había avisado a la poli, se decidió a iniciar el diálogo.

—¿Eres cirujano?

—Sí... Dirijo el Servicio de Cirujía Reparadora en...

—Ya sé, también tienes una clínica en Boulogne. Tu hija está chiflada y la tienes encerrada en un sitio para locos en Normandía. ¿Te das cuenta? Te conozco bien... Y tu mujer no está nada mal; de momento está atada a un radiador en un sótano, así que escúchame bien, o no la volverás a ver... Te vi el otro día en la tele.

—Sí, me hicieron una entrevista hace un mes...

—Hablaste de cómo rehaces narices, de cómo dejas lisa la piel arrugada de las viejas y todo eso.

Richard ya había comprendido. Suspiró. Aquel tipo no quería a Eva, sólo se quería a sí mismo.

—Me busca la policía. Me cargué a un poli. Estoy jodido, a no ser que cambie de jeta. Y eso es lo que vas a hacerme tú... Por la tele dijiste que no hacía falta mucho tiempo. Estoy solo, nadie estuvo conmigo en este golpe. ¡No tengo nada que perder! Si tratas de avisar a la poli, tu mujer morirá de hambre en el sótano. No me juegues una mala pasada porque te repito que no tengo nada que perder. Me vengaré con ella. Si me entregas, nunca diré dónde está y se morirá de hambre, que no es una muerte nada agradable...

—De acuerdo, acepto.

—¿Estás seguro...?

—Naturalmente, usted me ha prometido que no le haría daño.

—La quieres, ¿eh?

Richard se oyó decir con voz blanca «sí».

—¿Cómo vamos a hacer? Me ingresas en el hospital; no, mejor en la clínica...

Richard conducía con las manos crispadas sobre el volante. Tenía que convencer a aquel tipo de que fuera con él a Vésinet. A la vista estaba que no había inventado la pólvora. La ingenuidad de sus acciones lo demostraba. La idea de que una vez anestesiado se convertiría en un ser totalmente manipulable ni se le había pasado por la cabeza. ¡Un imbécil, no era más que un imbécil! Se sentía seguro teniendo secuestrada a Eva... ¡Ridículo, totalmente ridículo! Sí, pero tenía que convencerlo de que fuera a Vésinet: en la clínica, Lafargue no podía hacer nada y su ridículo plan podía incluso salirle bien, ya que Richard bajo ningún concepto avisaría a la policía...

—Escuche —dijo—, vamos a ganar tiempo. Una operación se prepara con antelación. Hay que hacer análisis. ¿Lo sabía?

—No soy imbécil...

—Ya... Si usted viene a la clínica, se plantearán problemas; las operaciones están previstas de antemano, hay una planificación...

—¿No eres tú el amo?

—Sí, pero si a usted lo busca la policía, piense que cuanta menos gente lo vea mejor para usted.

—De acuerdo, ¿y...?

—Vamos a mi casa, voy a mostrarle lo que puedo hacer, el dibujo de una nueva nariz, esa papada podemos suprimirla, en fin...

Alex desconfiaba, pero aceptó. Todo parecía ir de maravilla: el matasanos estaba acojonado a causa de su chica.

Una vez llegados a Vésinet, Lafargue invitó a Alex a que se sentara cómodamente. Estaban en el despacho; Richard abrió un *dossier* de fotos y encontró la de un hombre que se parecía vagamente a Alex; con un trapo blanco borró poco a poco la nariz para dibujar en negro una nueva. Alex lo miraba fascinado. Luego Lafargue hizo lo mismo con la papada. A mano alzada esbozó un rápido retrato del Alex de ahora, de cara y de perfil, y otro del Alex de después.

—¡Estupendo! Si logras dejarme así, no tienes que preocuparte por tu mujer...

Alex había cogido el primer dibujo y lo estaba rompiendo.

—No irás a hacer un dibujo-robot para la poli después de la operación, ¿eh?

—No diga bobadas, lo único que me importa es recuperar a Eva.

—¿Se llama Eva? Siii..., de todas formas tomaré precauciones...

Lafargue no se hacía ilusiones: el tipo tenía clarísimas intenciones de matarlo si realizaba la operación. En cuanto a Eva...

—Escuche, no hay que perder tiempo. Tengo que examinarlo antes de operarlo. Tengo aquí en el sótano un pequeño laboratorio y podemos ponernos inmediatamente a la faena.

Alex frunció el ceño.

—¿Aquí?

—Sí —contestó Lafargue sonriendo—, a menudo trabajo fuera del hospital.

Se levantaron los dos y Richard le mostró el camino del sótano. El sitio era grande, había varias puertas. Lafargue abrió una, encendió la luz y entró. Alex lo siguió. Abrió los ojos de par en par sorprendido ante el espectáculo: una gran camilla con un montón de aparatos, un armario con puertas de cristal lleno de instrumentos... Con el colt en la mano, recorrió aquel miniquirófano que Richard había instalado allí.

Se paró delante de la mesa de operaciones, examinó el enorme foco, ahora apagado, que estaba encima, cogió la máscara de la anestesia, inspeccionó las bombonas... Ignoraba qué tenían dentro...

—¿Qué es todo esto? —preguntó atónito.

—Pues... mi laboratorio.

—¿Y operas aquí a la gente?

Alex señalaba la camilla, el foco. Reconocía en líneas generales el material que había visto en el reportaje de la tele...

—No. Pero ya sabe..., tenemos que hacer experimentos... con animales.

Richard notaba cómo su frente se perlaba de sudor y cómo se le aceleraba el pulso, pero trataba de que no se le notara el miedo.

Alex movió la cabeza sorprendido. Era verdad, él lo sabía, los médicos hacen montones de experimentos con monos y todo eso...

—Pero... Entonces no hace falta que vaya a la clínica. Me puedes operar aquí, ¿no? Si tienes todo lo necesario...

Las manos de Lafargue temblaban. Las metió en los bolsillos.

—¿Qué piensas? ¿Hay algún problema?

—No... Puede que necesite uno o dos productos.

—¿Cuánto tiempo tengo que quedarme en la cama después de la operación?

—Muy poco, usted es joven y sano y no es una operación traumática...

—¿Podré quitarme pronto los vendajes?

—No. Tendrá que esperar por lo menos ocho días...

Alex, soñadoramente, recorría la habitación tocando los aparatos.

—¿Y haciéndolo aquí no hay peligro?

Richard abrió los brazos antes de responder:

—No; de hecho, ningún peligro...

—¿Y estarás solo? ¿No necesitas enfermera?

—No importa, puedo hacerlo todo yo. Basta con hacerlo con más calma.

Alex se echó a reír y le propinó una fuerte palmada en la espalda.

—¿Sabes lo que vamos a hacer? Voy a quedarme en tu casa, y en cuanto puedas me operas... ¿Mañana?

—Sííí... Mañana si quiere... Pero durante su..., en fin, «convalecencia», ¿quién se ocupará de Eva?

—No te preocupes, está en buenas manos...

—Creí que estaba usted solo...

—No del todo, no te preocupes, no le haremos daño... Me operas mañana. Y nos quedamos aquí los dos los ocho días. Tu criada está de vacaciones, vas a telefonear a tu chófer para que no venga mañana... Iremos los dos a buscar los productos que te faltan. Tienes que tomar vacaciones en el hospital. Vamos...

Subieron a la planta baja. Alex le dijo a Richard que llamara a Roger. Cuando acabó de hablar, Alex le mostró la habitación del primer piso.

Le mandó entrar en el apartamento de Eva.

—¿No está bien tu mujer? ¿Por qué la encierras?

—Ella..., en fin... Tiene comportamientos un poco extraños...

—¿Como tu hija?

—Un poco, a veces...

Alex cerró los tres cerrojos y dio las buenas noches a Lafargue. Inspeccionó la otra habitación y salió a dar un paseo por el parque. Debía de estar pasándolo mal la mujer allí en Livry-Gargan, pero todo iba bien... Dentro de diez días, cuando se hubiera quitado los vendajes, Alex mataría a Lafargue y adiós a todos, adiós a Alex. Diez días. Quizá Eva ya hubiera muerto, pero ¿qué importaba?

Al día siguiente por la mañana, Alex despertó a Lafargue temprano. Lo encontró tumbado en la cama vestido. Alex preparó el desayuno y lo tomaron juntos.

—Vamos a ir a tu clínica para que cojas lo que te hace falta. ¿Puedes operarme esta tarde?

—No... Tengo que hacer los análisis.

—Ah, sí... Los análisis de orina y todo eso.

—Y cuando tenga los resultados podremos empezar, digamos mañana por la mañana...

Alex estaba satisfecho. El médico parecía competente. Fue él quien se instaló al volante del Mercedes para ir a Boulogne. Dejó a Lafargue delante de la clínica.

—No tardes... ¡Soy desconfiado!

—No se preocupe, no tardo nada.

Richard entró en su despacho. La secretaria se sorprendió al verlo tan temprano. Le pidió que avisara al hospital de que no iría a la consulta de la mañana. Luego revolvió en un cajón, cogió dos frascos al azar, reflexionó un momento y fue a buscar una caja de bisturís, pensando que ese detalle impresionaría más a Alex y lo dejaría más convencido de la sinceridad de su «participación».

Alex leyó las etiquetas de los medicamentos, abrió el estuche que contenía los bisturís y lo guardó todo cuidadosamente en la guantera. De vuelta a Vésinet bajaron al laboratorio. Lafargue le sacó sangre. Inclinado sobre un microscopio examinó por alto la placa, mezclando al azar algunas notas de reactivo y, finalmente, interrogó a Alex acerca de las enfermedades que había tenido...

Alex estaba encantado. Observaba a Lafargue, atisbaba por encima de su hombro e incluso miró por el microscopio.

—Bien —dijo Richard—, todo está bien. No necesitamos esperar a mañana. ¡Está usted estupendamente! Descanse todo el día, no coma nada a mediodía y esta noche lo operaré.

Se acercó a Alex, le palpó la nariz y el cuello. Alex sacó del bolsillo el boceto de su nueva cara y lo desplegó.

—¿Así? —preguntó, enseñándole el dibujo.

—Sí... Así.

Tumbado en la cama de Lafargue —a su vez encerrado en la otra habitación—, Alex se relajó durante unas horas. Tenía ganas de beber, pero estaba prohibido. A las seis salió a buscar al cirujano. Estaba tenso: la idea de encontrarse en una mesa de operaciones siempre le había dado pánico. Richard lo tranquilizó, le mandó que se desvistiera. Alex dejó su colt con reticencia.

—No olvides a tu mujer, matasanos... —murmuró mientras se tumbaba.

Richard encendió el gran foco, la luz blanca era cegadora. Alex guiñó los ojos. Poco después Lafargue apareció a su lado vestido de blanco, con mascarilla; Alex sonrió tranquilizado.

—¿Preparado?

—Preparado. Y no te hagas el listo o no volverás a ver a tu mujer.

Richard cerró la puerta, cogió una jeringa y se acercó a Alex.

—Este pinchazo va a tranquilizarle... Luego, dentro de un cuarto de hora, estará usted dormido.

—Sííí..., no me hagas putadas...

La aguja se hundió suavemente en la vena. Alex veía al cirujano que sonreía encima de él.

—No me hagas putadas, ¿eh? No me hagas putadas...

De repente se hundió en el sueño. En su último segundo de consciencia se dio cuenta de que algo anormal acababa de suceder.

Richard se quitó la mascarilla, apagó el foco y cargó al bandido sobre su espalda. Abrió la puerta, salió al pasillo y caminó titubeando hasta otra puerta metálica.

Después de haber girado la llave llevó a Alex hasta una pared forrada de material aislante. El sofá, los sillones seguían allí así como otras cosas que habían pertenecido a Vincent. Encadenó a Alex a la pared y apretó eliminando algunos eslabones. Volvió a la otra habitación, cogió un catéter de un cajón y se lo introdujo en una vena del antebrazo. Cuando Alex se despertara, aunque estuviera atado, se debatiría sin duda para impedir que Richard lo pinchara de nuevo... Lafargue estaba seguro de que aquel tipo, desesperado y perseguido por la policía, encontraría fuerzas para resistir una tortura «clásica» por lo menos durante algún tiempo. Y Richard tenía prisa... Sólo quedaba esperar.

Se volvió a vestir de «civil», dejando la bata en el suelo. Subió a buscar la botella de *whisky* y un vaso. Luego se instaló en un sillón, frente a Alex. La dosis de anestesia era pequeña, no tardaría en despertarse...

2

Alex emergió lentamente de su sueño. Lafargue esperaba, atento a su reacción. Se levantó para abofetearlo con fuerza para que recobrara el conocimiento con más rapidez.

Alex vio las cadenas, aquel sótano lleno de un revoltijo de muebles, las extrañas ventanas falsas con el mar, la montaña... Se echó a reír. Todo se había acabado. No diría dónde estaba la zorra, aunque lo torturaran... La muerte no le importaba... El médico, sentado en un sillón, lo observaba bebiendo sorbitos de un vaso. *Whiskhy:* la botella estaba en el suelo. ¡Qué cabrón! Se la había hecho buena, lo había engañado... Era un jodido hijo de puta, no se había amilanado con sus faroles... Sí, Alex lo reconocía, admitía que era un imbécil.

—Así que... —dijo Lafargue—. Eva está en un sótano, encadenada a un radiador. Sola.

—Morirá... No diré dónde está.

—¿Ha abusado de ella?

—No... Tuve ganas de tirármela, pero preferí dejarlo para más tarde. Habría debido hacerlo, ¿eh? Ahora ya nadie la follará... nunca más. Nadie irá donde está hasta dentro de dos semanas. Morirá de hambre, de sed... Por tu culpa. Quizá algún día encuentres su esqueleto... ¿Jodía bien por lo menos?

—Cállese... —murmuró Lafargue apretando los dientes—. Va a decirme dónde está...

—Claro que no, cabrón, ya puedes cortarme en trocitos que no diré nada... ¡Me da igual! Si no me matas tú me agarrará la bofia: estoy jodido, así que me importa todo un carajo.

—Sí, estúpido, claro que me lo dirá...

Richard se acercó a Alex y éste le escupió en la cara. Le había colocado el brazo contra la pared con la palma de la mano hacia adelante y encadenado por la muñeca; anchas correas de cinta aislante superresistente, pegadas al cemento, le impedían cualquier movimiento.

—Mira... —dijo Richard.

Señaló el catéter en la vena. Alex sudaba, se puso a llorar, aquel cabrón le iba a hacer cantar así..., con un medicamento. Richard le enseñó una jeringa que unió al catéter. Suavemente apretó el émbolo. Alex gritaba, intentando en vano tirar de las cadenas.

El producto ya estaba dentro de él, circulando por su sangre. Sintió náuseas, una sensación algodonosa lo fue invadiendo poco a poco. Dejó de agitarse, de gritar. Sus ojos vidriosos todavía distinguían el rostro sonriente, perverso, de Lafargue.

—¿Cómo te llamas?

Richard le tiraba de las greñas, sujetándole la cabeza que se había desplomado.

—Barny... Alex.

—¿Te acuerdas de mi mujer...?

—Sí...

Al cabo de algunos minutos había dicho la dirección del edificio de Livry-Gargan...

A ras de suelo, un soplo de aire fresco se abre camino. Te contorsionas para volverte de ese lado, apoyas tu mejilla en el suelo y disfrutas esa parcela de frescor. Tu garganta está dolorida, seca. El esparadrapo sobre la boca te tira de la piel...

La puerta se abre. La luz se enciende. Es Tarántula. Se precipita sobre ti. ¿Por qué parece tan alterado? Te coge en sus brazos, arranca con suavidad el esparadrapo de la mordaza, te cubre la cara de besos, te llama «Pequeña mía», empieza ahora con las cuerdas, las desata. Tus miembros hinchados están doloridos, la circulación de la sangre vuelve de golpe, sin trabas.

Tarántula te tiene en sus brazos. Te abraza contra él... Sus manos acarician tu pelo, tu cabeza, tu nuca. Te levanta del suelo, te saca fuera de aquel sótano.

No estáis en Vésinet, sino en otra casa... ¿Qué significa todo esto? Tarántula abre una puerta de una patada. Es una cocina, Sin soltarte coge un vaso, lo llena de agua, te da de beber, lentamente, a sorbitos...

Tienes la sensación de haber tragado kilos de polvo y el agua en tu boca..., nunca has tenido una sensación tan agradable...

Tarántula te lleva a un salón amueblado con vulgaridad. Te sienta en un sillón, se pone de rodillas delante de ti, pone su frente en tu vientre, con las manos te abraza la cintura...

Asistes a todo esto desde fuera, como espectadora de un juego absurdo. Tarántula ha desaparecido. Vuelve con la colcha que había dejado en el sótano, te envuelve en ella y te saca fuera. Es de noche.

El Mercedes espera en la calle. Tarántula te instala a su lado, luego se pone al volante.

Habla, te cuenta una historia de locos, increíble. Apenas lo escuchas. Un bandido te secuestró para hacerle cantar... Pobre Tarántula, está loco, ya no distingue la realidad de sus puestas en escena. No..., a pesar de esa ternura con la que te trata sabes de sobra que va a hacerte sufrir para castigarte... En un semáforo rojo se vuelve hacia ti. Sonríe, te acaricia de nuevo los cabellos.

Al llegar a Vésinet te lleva al salón, te acuesta en el sofá. Corre a tu habitación, vuelve con una bata, te la pone, luego desaparece de nuevo... Reaparece con una bandeja: comida, bebida... Te da unos comprimidos, no sabes de qué, no importa.

Te dice que comas, insiste para que tomes fruta, yogurt.

Cuando acabas de comer se te cierran los ojos, estás agotada. Te lleva al piso de arriba, te mete en la cama; antes de dormirte notaste que se había sentado a tu lado y que te cogía la mano...

Te despiertas... Hay una claridad difusa, sin duda está amaneciendo. Tarántula está cerca de ti, durmiendo en un sillón; la puerta de la habitación está abierta de par en par.

Todavía te duelen las piernas, las cuerdas estaban muy apretadas. Te pones de lado para poder ver mejor a Tarántula. Recuerdas la rocambolesca historia que te contó... ¿Una historia de gangsters? Ah, sí... Un criminal fugitivo que quería que Tarántula le rehiciera la cara... ¡Y tú eras su rehén!

No entiendes nada... Te vuelve a entrar el sueño. Un sueño entrecortado por pesadillas. Se repiten siempre las mismas imágenes: Tarántula riéndose, estás tumbado en aquella mesa, el foco enorme te ciega. Tarántula lleva una bata blanca, un delantal de cirujano, un gorro blanco y asiste a tu despertar riendo a mandíbula batiente.

Escuchas su risa multiplicada que te rompe los tímpanos, querrías seguir durmiendo, pero no, la anestesia se acabó... Estás lejos, vuelves de otra parte, las imágenes de tus sueños todavía perduran y Tarántula ríe... Vuelves la cabeza, tu brazo está atado, no, tus brazos están atados... Una aguja te penetra en una vena, está unida a un tubo, el gota a gota cae de una botella de suero que se balancea suavemente encima de tu cabeza... Sientes vértigo, pero, poco a poco, un dolor fuerte te llega por oleadas, más abajo, allí en el bajo vientre y Tarántula ríe.

Tus muslos están separados, te duelen. Tienes las rodillas atadas a unos montantes de acero... Sí..., como las camillas que usan los ginecólogos para examinar el... ¡Ay!, ese dolor... del sexo sube a la región abdominal; tratas de levantar la cabeza para ver lo que pasa, Tarántula sigue riendo.

—Espera, querido Vincent... Voy a ayudarte.

Tarántula coge un espejo y te sostiene la nuca, coloca el espejo entre tus piernas. No ves nada, nada más que un montón de gasas llenas de sangre y dos tubos unidos a dos botellas.

—Pronto —te dice Tarántula— lo verás mejor.

Y se muere de risa...

Sí, ya sabes lo que te ha hecho. Las inyecciones, tus pechos que han crecido y ahora esto.

Cuando desapareció por completo el efecto de la anestesia, cuando tomaste plena conciencia, gritaste, gritaste mucho tiempo. Te había dejado allí, en el sótano, tumbado, atado a la camilla.

Volvió, se inclinó hacia ti. Parecía que no podía dejar de reír.

Había traído una tarta, una pequeña tarta con una vela; con una única vela.

—Querido Vincent, vamos a celebrar el primer cumpleaños de alguien a quien vas a conocer muy bien: Eva...

Señalaba tu vientre.

—Aquí ya no hay nada. Me explicaré: ya no eres Vincent, eres Eva.

Cortó la tarta, cogió una parte y te la aplastó contra la cara. No tenías ni fuerzas para gritar. Sonriendo se comió la otra. Descorchó una botella de champán, llenó dos copas. Bebió la suya y derramó la otra por tu cabeza.

—Y bien, querida Eva, ¿no tiene nada que decirme...?

Preguntaste qué te había hecho. Era muy sencillo. Empujó la camilla —que tenía ruedas— a la otra parte del sótano, donde habías vivido hasta entonces.

—Querida amiga, no he podido hacer fotos de la intervención que acabo de hacerle... Sin embargo, como este tipo de operaciones es muy corriente, voy a explicárselo con ayuda de esta película.

Puso a funcionar un proyector... En la pantalla adosada a la pared apareció una sala de operaciones. Alguien hacía el comentario pero no era la voz de Tarántula.

«Después de un tratamiento hormonal durante dos años, vamos a poder practicar una vaginoplastia en el señor X, con el que hemos tenido numerosas entrevistas previas.

»Empezamos, después de la anestesia, por cortar un jirón de glande de 1,2 cm, luego despegamos la totalidad de la piel del pene hasta la raíz. Diseccionamos el pedículo también hasta la raíz... Idéntica maniobra en lo que respecta al pedículo vasculo-nervioso dorsal del pene. Se trata de llevar la capa anterior de los cuerpos cavernosos hasta la raíz del pene...»

No podías despegar los ojos de aquel espectáculo, aquellos hombres de manos enguantadas que manejaban el bisturí y las pinzas cortando la carne, igual que había hecho Tarántula contigo...

«A continuación se practica una incisión escroto-perineal a 3 cm del ano hacia atrás; exteriorización del pene a través de esta incisión y seguimos diseccionando la piel y el jirón del pene.

»Conseguimos de este modo individualizar el uréter y separar los cuerpos cavernosos por la línea media.»

Tarántula reía, reía... De vez en cuando se levantaba para enfocar mejor la imagen y al volver te palmeaba la mejilla...

«A continuación creamos una neo-vagina entre el plano uretral hacia adelante y el recto hacia atrás, con un dedo intrarrectal para controlar el desprendimiento...

»Este es el desprendimiento de la neo-vagina que mide 4 cm de ancho por 12 ó 13 de profundidad... Aquí: cierre de la extremidad anterior de la envoltura del pene e invaginación de la piel del pene en la neo-vagina...

»El jirón de glande se exterioriza de modo que sirva para crear un neo-clítoris... La piel de las bolsas, que hemos dejado muy fina, se deseca; servirá para formar los labios mayores.

»Vean al mismo paciente meses más tarde. El resultado ha sido muy satisfactorio: la vagina es de tamaño adecuado y completamente funcional, el clítoris es sensible, el orificio uretral en lugar correcto y sin complicaciones urinarias...»

La película se había terminado. Sentías como un picor en medio del dolor en tu bajo vientre. Tenías ganas de orinar. Se lo dijiste a Tarántula. Te había puesto una sonda y así te vino esta sensación extraña, esta nueva percepción de tu sexo. Gritaste de nuevo...

Era espantoso, no podías conciliar el sueño. Tarántula te inyectaba calmantes. Más tarde te desató para que te pusieras de pie. Caminaste a pasitos dando vueltas en redondo. La sonda se balanceaba entre tus piernas lo mismo que los tubos unidos a botellas de vacío que aspiraban tus secreciones. Tarántula sostenía una, la otra estaba en el bolso de tu bata... No tenías fuerzas. Tarántula te sacó del sótano y te instaló en un pequeño apartamento. Había un gabinete, una habitación... Estabas deslumbrada; era la primera vez en dos años que salías de tu prisión. El sol te inundó la cara. Era agradable.

Tu «convalecencia» duró mucho. Ya no tenías sonda, ni botellas. Sólo quedaba el agujero, ahí entre tus piernas. Tarántula te obligaba a que llevaras un dilatador en la vagina. Es indispensable, decía; de otro modo la piel se cerrará. Lo llevaste meses y meses. Tenías un punto muy sensible, arriba: tu clítoris.

La puerta de la habitación estaba siempre cerrada. Por las rendijas de las contraventanas veías un parque, un estanque, cisnes. Tarántula venía a verte todos los días, pasaba contigo largas horas. Hablábais de tu nueva vida. De lo que eras ahora...

Volviste al piano, a la pintura... Ya que tenías pechos y ese agujero ahí entre los muslos, tenías que entrar en el juego. ¿Huir? ¿Volver a tu casa después de tanto tiempo? ¿Seguiría siendo tu casa el lugar en el que Vincent había vivido? ¿Y qué dirían los que te habían conocido? No había elección posible. Maquillaje, vestidos, perfumes... Y un día Tarántula te llevó al bosque de Boulogne. Después de eso nada peor podía pasarte ya.

Hoy ese hombre duerme cerca de ti. Debe de estar incómodo, ahí en el sofá. Cuando te encontró en el sótano te besó, te cogió en sus brazos. La puerta está abierta, ¿qué querrá ahora?

Richard abrió los ojos. Le dolían los riñones. Tenía una sensación extraña, toda la noche velando a Eva, luego algo, el roce de una tela —la sábana— o bien Eva despierta observándolo en la claridad de la mañana, un rayo de sol fraccionado en rayas luminosas a través de las persianas cerradas... Las persianas, habrá que abrirlas, quitar los cierres metálicos que las mantenían cerradas. Ella está aquí. Aquí, en la cama, tiene los ojos abiertos. Richard sonrió, se levantó, se estiró, fue a sentarse en la cama. Habla, de nuevo con esas pausas indecentes y tratándola de usted, como cuando tenía arrebatos de cólera... Sí, el interfono habrá que suprimirlo también.

—¿Está usted mejor?... Ya se acabó todo. Yo..., en fin..., se acabó, se puede usted ir, ya arreglaré los papeles, tu nueva identidad. Eso se puede conseguir, ¿sabes? Tendrás que ir a la policía para decirles...

Richard, lamentablemente, no conseguía acabar de confesar su derrota. Una derrota total y humillante que llegaba demasiado tarde para castigar un odio ya apagado.

Eva se levantó, se dio un baño y se vistió. Bajó al salón. Richard la encontró al borde del estanque. Llegó con migas de pan que tiró a los cisnes. Ella se agachó al borde del agua y llamó a los animales con un silbido. Fueron a comer a su mano torciendo el cuello para tragar los mendrugos.

Hacía un día hermoso. Volvieron los dos hacia la casa y se sentaron el uno al lado del otro en el balancín, cerca de la piscina. Se quedaron así un rato largo, sin decirse nada.

—Richard —dijo por fin Eva—. Quiero ver el mar...

Se volvió hacia ella, la contempló con una mirada inmensamente triste y asintió. Volvieron a la casa. Eva fue a buscar una bolsa donde metió algunas cosas. Richard la esperaba en el coche.

Se pusieron en marcha. Ella bajó la ventanilla lateral y jugó a luchar contra el viento, manteniendo la mano fuera del cristal. El le sugirió que cerrase por los insectos y las piedras...

Richard iba de prisa tomando las curvas con una especie de rabia. Ella le pidió que fuera más despacio. Los acantilados de la costa aparecieron pronto.

La playa de guijarros de Etretat estaba llena de gente. Los turistas se amontonaban a la orilla del agua. Había marea baja. Pasearon por la cornisa que recorre la roca a lo largo y termina en un túnel que desemboca en otra playa en donde está «la aguja hueca».

Eva le preguntó a Richard si había leído la novela de Leblanc, aquella increíble historia de bandidos escondidos en una gruta que había en el interior de la montaña. No, Richard no la había leído... Dijo riéndose, con un poco de amargura en la voz, que su trabajo le dejaba poco tiempo para el ocio. Ella insistió, pero ¡si todo el mundo conoce a Arsenio Lupin!

Reemprendieron su paseo en sentido inverso para volver a la ciudad. Eva tenía hambre. Se sentaron en la terraza de una marisquería. Ella empezó a comer de una bandeja llena de ostras y de caracoles de mar... Richard probó una pinza de centollo y dejó que acabara de comer sola.

—Richard —preguntó—, ¿qué es esa historia de gangsters?

Le contó de nuevo su llegada a Vésinet, la habitación vacía, los cerrojos abiertos, su angustia al ver que había desaparecido... Cómo había conseguido encontrarla...

—¿Y lo dejaste marchar?

—No, está atado en el sótano.

Había contestado en voz baja, con un tono monocorde. Ella casi se atraganta.

—Pero Richard, hay que ir allí, no puedes dejarlo morir así...

—Te hizo daño, se lo merece...

Ella golpeó con el puño la mesa para hacerle volver a la realidad. Tenía la impresión de estar representando una escena absurda, el vino blanco en la copa, restos de pan y aquel diálogo absurdo acerca de un tipo que se pudría en el sótano de la casa de Vésinet. El miraba hacia otro lado, ausente. Ella insistió en volver. Aceptó. Ella tuvo la impresión de que si le mandaba tirarse por el precipicio obedecería sin rechistar.

Era tarde cuando llegaron a la casa. El fue delante de ella por las escaleras del sótano. Abrió la puerta, encendió la luz. El tipo seguía allí, de rodillas, con los brazos abiertos sujetos por aquellas cadenas que conocía tan bien. Cuando Alex levantó la cabeza, se le escapó un grito profundo, un quejido de animal incapaz de comprender lo que le ha sucedido.

Destrozada, sin aliento, señalaba con el dedo al prisionero. Se lanzó al pasillo, cayó de rodillas y vomitó. Richard había ido tras ella y la sostenía cogiéndole la frente.

¡Así que éste era el último acto! Tarántula se había inventado una historia de bandidos, un cuento delirante para no despertar tus sospechas. ¡Te había camelado con ternura, cediendo a tu capricho de ver el mar para llevarte a un horror sin límites!

Y esta maniobra para que descubrieras a Alex, prisionero como tú cuatro años antes, no tenía otro objeto que destrozarte un poco más, acercarte aún más —¿sería posible?— a la locura...

Sí, ¡ése era su plan! No sólo humillarte prostituyéndote después de haberte castrado, despedazado, estropeado; después de haber destruido tu cuerpo para hacerte otro nuevo —un juguete de carne y hueso—. No, todo esto no era más que un juego, las primicias de su verdadero proyecto: llevarte a la locura, como a su hija... Ya que habías resistido todas las pruebas, había que pujar más fuerte.

En cada etapa te rebajaba más, te hundía la cabeza en negras aguas y, de vez en cuando, te agarraba por los pelos para impedir que te ahogaras del todo para, por fin, darte el golpe de gracia: ¡Alex!

Tarántula no estaba loco, era un genio. ¿Qué otro hubiera podido imaginar una progresión tan inteligentemente planeada? ¡Hay que matar a este hijoputa!

De Alex no sacaría nada. Ya se lo imaginaría... No pensaría hacerle pasar por los mismos tormentos... Alex era un zafio, un bruto, os habíais divertido juntos, hacía lo que tú dijeras, te habría seguido a todas partes como un perro.

Con él Tarántula no tenía nada que hacer; los refinamientos que tú habías conocido no servirían para él... ¿O quizá iba a obligarte a...? Sí, estaba encadenado, desnudo como un gusano. ¡Era eso lo que quería Tarántula!

No estaba saciado con uno, quería disponer de los dos. Cuatro años, Tarántula había empleado cuatro años para encontrar a Alex... Alex, ¿cómo había ocurrido? Y sobre todo, ¿por qué había podido atraparlo Tarántula? ¡Tú nunca habías dicho nada!

Tarántula estaba allí, cerca de ti. Te sostenía. El charco del vómito se extendía por el cemento. Tarántula murmuraba palabras tiernas —preciosa, pequeña—, se ocupaba de ti, te limpiaba la boca con un pañuelo...

La puerta de la otra habitación estaba abierta. Diste un salto y cogiste de la camilla un bisturí; volviste lentamente hacia Tarántula apuntándole con el filo.

3

Estaban allí, frente a frente, en aquel sótano de hormigón iluminado por la luz despiadada de un tubo de neón. Ella avanzaba lentamente con el bisturí en la mano. Richard no se movía. En la otra habitación, Alex se puso a gritar. Había visto a Eva caer de rodillas, arrastrarse fuera del alcance de su vista y ahora, por la puerta entreabierta, la veía avanzar con un cuchillo en la mano.

—¡Mi revólver, pequeña! —chilló—, mi revólver, ¡ven, lo dejó aquí!

Eva entró de nuevo en el sótano y se apoderó del arma de Alex que, en efecto, estaba abandonada encima del sofá. Richard ni se había inmutado, estaba de pie en el pasillo, pero no retrocedía ante el cañón del colt apuntándole al pecho. Y dijo algo increíble.

—Eva, por favor, ¡explícame!

Ella se detuvo, estupefacta. Esa sorpresa fingida era otra trampa de Tarántula. ¡Pero este cabrón no iba a salirse con la suya...!

—¡No te preocupes, Alex! —gritó—. ¡Vamos a cargarnos a este miserable!

Alex tampoco comprendía gran cosa. Ella conocía su nombre. Sí quizá Lafargue se lo hubiera dicho. ¡Ah, sí, estaba claro!... Lafargue tenía a su mujer encerrada y ella aprovechaba hoy la oportunidad para desembarazarse de su marido.

—¡Eva, mátame si quieres, pero dime qué pasa!

Richard se había dejado caer, resbalando a lo largo de la pared. Allí se quedó, sentado.

—¡Te burlas de mí! ¡Te burlas de mí! ¡Te burlas de mí!

Había empezado en susurros y había terminado en un grito. Tenía los músculos del cuello tensos, la mirada desorbitada, temblaba...

—Eva, ¡por favor, explícame...!

—¡Alex! ¡Alex Barny! Estaba conmigo, él también... La violó... a Viviane, incluso le dio por el culo mientras..., mientras yo la sujetaba. Siempre creíste que había sido yo solo, nunca te dije nada, no quería que lo buscaras a él también... Tanta culpa tiene él como yo de que tu hija esté loca, hijoputa. ¡Y yo lo pagué todo!

Alex escuchaba lo que decía aquella mujer. ¿Qué estaba contando? Estos dos, pensaba, me están jugando una mala pasada, quieren que me vuelva majareta... Cuanto más atentamente observaba a la mujer de Lafargue: la boca, los ojos... ¡Ya está, ya me he vuelto loco!

—¿No sabías que éramos dos? Pues sí, Alex era mi amigo. Al pobre no se le daban bien las chicas... Tenía yo que hacer de... cebo. Con tu hija fue más difícil, no quería saber nada. Dejarse magrear, besar, sí que le gustaba, pero en cuanto le metía mano por debajo de la falda ¡se acabó! Entonces tuvimos que forzarla un poco...

Richard sacudía la cabeza, incrédulo, agobiado por los gritos de Eva, por su voz aguda que seguía chillando.

—Fui yo el primero. Alex la sujetaba, ella se resistía... Los demás estábais en el albergue jamando o bailando, ¿verdad? Luego le cedí el puesto a Alex. Se lo pasó bien, ¿sabes, Richard? Ella gemía, le dolía... Menos que a mí, después de todo lo que me has hecho. Voy a matarte, Tarántula, ¡voy a matarte!

No, Tarántula no había sabido nada. Nunca se lo habías dicho. Cuando te confesó por qué te había mutilado —esa violación a Viviane que se había vuelto loca— habías decidido callarte. Tu única venganza era proteger a Alex. Tarántula no sabía que érais dos.

Estabas allí, acostado en la camilla del sótano y te contó aquella noche de julio de dos años antes. Un sábado. Sin nada que hacer, paseabas por el pueblo en compañía de Alex. Las vacaciones escolares acababan de empezar. Tú ibas a marcharte a Inglaterra y él, Alex, se quedaría en la granja de su padre para trabajar en el campo.

Deambulásteis, entrásteis a los bares, a los futbolines, a las salas de máquinas, luego subísteis los dos a la moto. El día era agradable. En Dinancourt, una aldea que queda a unos treinta kilómetros, había baile, una fiesta local. Alex jugó al tiro al blanco. Tú mirabas a las chicas. Había muchas, todas de por allí. Hacia el final de la tarde viste a la chavala. Era bonita. Caminaba del brazo de un tipo, un viejo, bueno..., mucho más que ella. Debía de ser su padre. Ella llevaba un vestido de verano azul claro. Tenía el pelo rizado, rubio y su cara todavía infantil iba sin maquillar. Paseaban con otra gente y por sus ropas se veía enseguida que no eran aldeanos.

Se sentaron en la terraza de un café. La chica siguió paseando por la fiesta. La abordaste amablemente, como siempre hacías. Se llamaba Viviane. Sí, el del pelo blanco era su padre.

Por la noche había baile en la plaza del pueblo. Le pediste a Viviane que se quedara contigo. Quería, pero su padre... Habían ido al albergue a celebrar una boda. El albergue estaba en un antiguo castillo, un poco apartado de las casas y a menudo organizaban recepciones y fiestas en el parque... Ella tenía que asistir a la comida de la boda. La convenciste: por la noche, os veríais al lado de la barraca de patatas fritas. Era una chavala un poco sosa, pero tan bonita...

A lo largo de la tarde pasaste varias veces por los alrededores del castillo. Aquellos ricachones habían traído una orquesta, no unos cualquiera con un acordeón, no; una orquesta de verdad, los tipos tocaban jazz, iban de smoking blanco. Las ventanas del albergue estaban cerradas para que los ricos no escucharan el chinchín hortera del baile del pueblo.

Hacia las diez salió Viviane. La invitaste a beber algo. Tomó una Coca-cola, tú un whisky. Bailásteis mientras Alex te observaba. Le hiciste un guiño. Durante un slow besaste a Viviane. Notabas cómo latía su corazón contra tu pecho. No sabía besar. Cerraba los labios apretando. Luego, cuando le enseñaste cómo se hacía, ¡empujaba tanto como podía con la lengua! Un poco zafia..., olía bien, un olor dulzón, discreto, no como las chicas de por allí, que se rociaban con litros de agua de colonia. Mientras bailabas le acariciabas la espalda desnuda. Su vestido era escotado.

Paseásteis por las calles del pueblo. En la puerta de un garaje la besaste de nuevo. Mejoraba, había aprendido algo. Deslizaste la mano bajo su vestido, recorriendo el muslo hasta la braga. Estaba excitada pero se soltó. Tenía miedo de que la riñera el padre si tardaba demasiado. No insististe. Habíais vuelto a la plaza. El padre había salido del albergue para buscar a su hija. Os vio a los dos, volviste la cabeza y seguiste tu camino.

De lejos viste que discutían. Parecía enfadado, pero se rió, volvió de nuevo al albergue. Viviane regresó a tu lado. Su padre le daba un poco más de tiempo.

Bailásteis. Se pegaba a ti. En la penumbra acariciabas sus pechos. Una hora más tarde quiso volver al albergue. Le hiciste una señal a Alex, acodado en el bar cercano a la pista de baile con una cerveza en la mano. Le dijiste a Viviane que ibas a acompañarla. De la mano caminásteis hacia el castillo. Riendo la arrastraste a unos matorrales al fondo del parque. Ella protestaba riendo. Tenía muchas ganas de quedarse contigo.

Os apoyásteis contra un árbol. Ahora besaba perfectamente. Te dejó que le levantaras la falda un poco. Bruscamente le tiraste de la braga para rompérsela después de haberle tapado la boca con la mano. Alex estaba cerca, le agarró las manos contra la espalda y la tiró al suelo. La mantenía sólidamente sujeta, mientras tú te arrodillabas entre sus piernas.

Luego fuiste tú el que sujetaste a Viviane a cuatro patas en la hierba mientras Alex se colocaba detrás de ella. Pero le hizo mucho daño, se debatió todo lo que pudo hasta que se soltó.

La abofeteaste, pero intentó huir. Corriste tras ella.

Tarántula te lo dijo más tarde. Cuando oyó los gritos la orquesta del albergue estaba tocando «The Man I Love». Salió corriendo al parque. Te vio de rodillas en la hierba tratando de agarrar el tobillo de Viviane, de atraparla para impedirle que gritara.

Alex había huido sin esperar y se había escondido en el bosque. Viviane seguía gritando. Tenías que escapar. Corriste hacia delante con aquel tipo pisándote los talones. Salía de una comida copiosa y lo despistaste sin dificultad. Alex te esperaba al otro extremo del pueblo, cerca de la moto.

Los días siguientes estuviste muy nervioso. El tipo te había visto cerca de la fuente y en el campo de detrás del albergue dudaste unos minutos antes de escoger qué dirección tomar... Pero aquél no era tu pueblo, vivías lejos... Poco a poco te tranquilizaste. Te fuiste a Inglaterra la semana siguiente y no volviste hasta finales de agosto. Y, además, Alex y tú no era la primera vez que teníais problemas.

Tarántula te buscó mucho, sabía más o menos cuál era tu edad. Conocía vagamente tus rasgos... No avisó a la policía. Te quería para él solo. Recorrió la zona ampliando poco a poco el círculo de pueblos, vigilando la salida de las fábricas, luego la de los institutos.

Tres meses más tarde te vio en un café, enfrente del instituto de Meaux. Te siguió, te espió, anotó tus costumbres, hasta la noche de finales de septiembre, en la que se lanzó sobre ti en el bosque.

Ignoraba la existencia de Alex, no podía saber... Por eso está ahí, delante de ti, sin aliento, a tu merced...

Richard estaba estupefacto. Eva, de rodillas, apuntándole con el colt, extendidos los brazos, su índice tembloroso apretando el gatillo, repetía «Voy a matarte» con voz sorda.

—Eva..., no sabía... ¡Es injusto!

Ella se conmovió ante el recuerdo de remordimientos incongruentes y bajó un poco la guardia. Richard esperaba aquel momento. Le dio una patada en los brazos y la mujer tuvo que soltar el arma con un grito de dolor. Saltó, se apoderó del colt, rodó a la habitación en la que estaba Alex encadenado. Disparó dos veces. Alex se desplomó tocado en el cuello y el corazón.

Luego Richard volvió al pasillo, se inclinó sobre Eva, le ayudó a levantarse, se arrodilló y le tendió el colt.

Titubeante, se puso de pie, inspiró profundamente y con las piernas abiertas apuntó, acercando la punta del cañón a la sien de Lafargue.

El la miraba fijamente, su mirada no dejaba translucir ningún sentimiento, como si hubiera querido alcanzar la neutralidad que posibilitaría que Eva se abstrajera de cualquier idea de piedad, como si hubiera querido volver a ser Tarántula. Tarántula y sus ojos fríos, impenetrables.

Eva lo vio empequeñecido, casi aniquilado. Dejó caer el colt.

Eva subió a la planta baja, corrió por el parque, detuvo su carrera, sofocada, ante la verja de la entrada. Hacía un día hermoso, el sol dejaba reflejos en el agua azul de la piscina.

Entonces volvió sobre sus pasos, entró en la casa, subió al piso, se sentó en la cama. El caballete seguía allí tapado con una tela. La arrancó, contempló detenidamente aquel cuadro innoble de Richard travestido y con cara de borracho y piel arrugada; Richard de vieja prostituta...

Lentamente volvió a bajar al sótano. El cuerpo de Alex seguía colgado de las cadenas. Un gran charco de sangre se había formado sobre el cemento. Levantó la cabeza de Alex, sostuvo un instante la mirada de sus ojos muertos y luego salió de la prisión.

Richard todavía estaba sentado en el pasillo, los brazos le colgaban a lo largo del cuerpo y las piernas estaban rígidas. Un ligero tic sacudía su labio superior. Ella se sentó cerca de él, le cogió la mano y apoyó la cabeza en su hombro.

En voz baja susurró:

—Ven... No podemos dejar el cadáver aquí...

INDICE

ETIQUETA NEGRA

1.	¿Por qué yo?	Donald E. Westlake
2.	Violación	Chester Himes
3.	Al sur del paraíso	Jim Thompson
4.	Mi nombre es Novoa	Julián Ibáñez
5.	Carrera de ratas	Alfred Bester
6.	Policías y ladrones	Donald E. Westlake
7.	La Calera	Jonathan Valin
8.	Plan B	Chester Himes
9.	El escándalo del 44	Andrew Bergman
10.	Cosa fácil	Paco Ignacio Taibo II
11.	Tarántula	Thierry Jonquet
12.	Sherlock Holmes a través del tiempo y del espacio	Isaac Asimov
13.	Extranjero en Amsterdam	Janwillem van de Wetering
14.	Judy	Stuart Kaminsky
15.	La mirada del perseguidor	Marc Behm
16.	Calle sin retorno	David Goodis
17.	Ocho millones de maneras de morir	Lawrence Block
18.	La elección del asesino	Wade Miller
19.	Un diablo de mujer	Jim Thompson
20.	Tirar al vuelo	Julián Ibáñez
21.	Muerte al micrófono	H. Paul Jeffers
22.	Negro sobre negro	Chester Himes
23.	Cuentos, I	Dashiell Hammett